Les recettes originales de...
Collection dirigée par Claude Lebey

Les recettes originales de
MICHEL GUÉRARD

LA GRANDE
CUISINE
MINCEUR

ROBERT LAFFONT

Histoire d'une collection

Une double révolution s'est produite au début des années 1970 : d'une part la naissance de la Nouvelle Cuisine française, d'autre part la prise de pouvoir des cuisiniers dans les restaurants, l'une et l'autre étant intimement liées. Jusque-là, les cuisiniers, à quelques exceptions près (Domaine à Saulieu, Pic à Valence, Raymond Oliver à Paris et certains autres), étaient des employés mal payés et souvent peu considérés par des directeurs de salle ou des patrons omnipotents... Une nouvelle génération de cuisiniers plus instruits, plus modernes dans leur comportement, est tout à coup apparue, formant un petit groupe d'amis tous très talentueux, vite repéré par Henri Gault et Christian Millau, qui créent leur magazine en 1969 et leur guide en 1972. Tous deux firent la part belle à ces nouveaux cuisiniers.

Ils contribuèrent largement à faire connaître ce nouveau mouvement. Tout d'abord en révélant à un large public les principes toujours évidents encore aujourd'hui de cette Nouvelle Cuisine (j'y participais moi-même dès 1972 à travers mes chroniques hebdomadaires dans *L'Express*). C'était le refus de la complication inutile, les temps de cuisson réduits, la cuisine du marché, la diminution du choix sur les cartes, l'abandon des marinades et des faisandages, le refus des sauces trop riches, le retour à la gastronomie régionale, la curiosité à l'égard des techniques d'avant-garde, la recherche d'une cuisine diététique, la liberté d'inventer des plats nouveaux. Ils inventent, ils créent, ils réussissent.

Ces nouveaux cuisiniers : c'était avant tout à l'origine Michel Guérard dans son Pot-au-Feu à Asnières puis, et surtout, à Eugénie-les-Bains, Pierre et Jean Troisgros à Roanne, Roger Verge à Mougins, Alain Chapel à Mionnay, Alain Senderens à Paris, Pierre Gagnaire à Saint-Étienne, Freddy Girardet en Suisse, Pierre Wynants à Bruxelles, Jacques Maximin à Cannes, puis Joël Robuchon à Paris, et quelques autres... Sans oublier Paul Bocuse, grand communicateur, à défaut d'être vraiment un créateur (il le proclame lui-même), qui est resté indépendant dans la publication de ses livres.

Si les médias avaient fait rapidement la notoriété de ces créateurs, il leur restait à faire connaître leurs recettes en publiant des livres. C'est là qu'intervient Robert Laffont, qui me fit confiance pour publier cette Nouvelle Cuisine composée de recettes originales. De Michel Guérard en 1976 à Claude Peyrot en 1992, vingt-deux volumes sont publiés. Tous rencontrent un grand succès.

D'innombrables amateurs et professionnels nous réclamaient régulièrement la réédition de cette collection, aujourd'hui véritable « Pléiade » de la cuisine, aussi bien les lecteurs de l'époque que les jeunes qui en ont entendu parler et rêvent d'en prendre connaissance. C'est maintenant chose faite.

Claude LEBEY, 2009

Préface

Dans cette collection seront publiées les recettes originales des frères Troigros de Roanne, de Roger Vergé de Mougins, d'Alain Chapel de Mionnay, d'Alain Senderens de Paris, de Jean Delaveyne de Bougival, et d'autres encore. Nous avons ainsi voulu réunir non seulement les meilleurs cuisiniers de notre époque mais surtout ceux dont les recettes présentent un caractère d'originalité.

Nous avons souhaité montrer aux ménagères et aux cuisiniers amateurs que cette « grande » cuisine est à leur portée quand elle est bien expliquée. On remarquera que tous ces cuisiniers appartiennent à ce qu'il est convenu d'appeler la Nouvelle Cuisine française. Pour nous il n'y a que deux cuisines, la bonne et la mauvaise, mais il est certain que ces grands chefs ont en commun une simplification de préparation et de présentation qui ne pourra qu'aider le lecteur à réussir des plats de qualité pour autant qu'il aura pris soin de n'acheter que des produits irréprochables.

Il nous a paru bon d'inaugurer cette nouvelle collection avec le livre de Michel Guérard sur la « Grande Cuisine minceur » (un deuxième volume consacré à la « Cuisine gourmande » du même auteur sera publié à la suite).

Michel Guérard, même ses pairs le reconnaissent, est certainement le cuisinier le plus doué de sa génération. Tout ce qui touche à la cuisine l'intéresse, et tout ce qu'il fait il le réussit. Sa modestie naturelle l'a peut-être empêché jusqu'à présent d'acquérir la notoriété de certains, mais cette humilité devant les problèmes aidée par son talent naturel de cuisinier-créateur et son travail font qu'il restera probablement pour les générations futures comme « le » grand cuisinier de notre époque. Il possède en outre un talent de pédagogue dont on pourra juger dans les pages qui suivent.

Ce premier volume est donc consacré à sa Cuisine minceur. Il n'est pas exagéré d'affirmer qu'il a inventé là une nouvelle cuisine, fait unique dans ce domaine où tout n'est habituellement qu'évolution lente.

Après avoir acquis et mis en pratique les plus solides bases techniques, il s'en est dégagé pour créer de nouveaux plats au gré de sa fantaisie et de son imagination créatrice. Avec pour seul impératif qu'un « repas doit être une fête », mais une fête adaptée à notre époque.

Claude LEBEY, 1976

Michel Guérard

Michel Guérard est né à Vétheuil en 1933. Venu à la cuisine par vocation, il fait son apprentissage à Mantes chez Kléber Alix. Là, il se familiarise avec toutes les disciplines de la pâtisserie et de la cuisine. Après avoir fait son service militaire dans la marine, il rejoint, à Paris, en 1955, la brigade du Crillon où il devient chef pâtissier, puis chef saucier. En 1958, il arrive premier au concours du Meilleur Ouvrier de France, dans le domaine de la pâtisserie.

Après un passage de quelques années comme chef pâtissier au Lido, il travaille avec Jean Delaveyne au Camélia, à Bougival.

En 1965, désireux de voler de ses propres ailes, il s'installe à son compte dans un petit bistrot d'Asnières qui deviendra bientôt le Pot-au-Feu, rendez-vous du Tout-Paris et des gastronomes du monde entier. C'est là qu'il met au point sa « Cuisine Gourmande » avec des recettes emblématiques comme la salade gourmande. Il obtient une première étoile en 1967, puis une seconde en 1971.

Installé en 1974 dans les Landes, à Eugénie-les-Bains, il crée avec son épouse Christine le premier Village Minceur de France, grâce à l'invention d'un nouveau concept : « La Cuisine Minceur », mariée au thermalisme.

1977 voit la consécration de sa Cuisine gourmande, avec sa troisième étoile décernée par le Guide Michelin.

Les Prés d'Eugénie sont devenus en trente ans le "resort" raffiné, qui recèle le Couvent des Herbes, la Ferme et le Logis des Grives, la Ferme Thermale, la Maison Rose et, à quelques kilomètres, le château historique de Bachen, son vignoble en appellation Tursan, ainsi que, sur la côte landaise, une demeure exotique classée, au nom évocateur de Maisons Marines d'Huchet.

À Christine...

Avant-propos

Il y a si longtemps que je rêve, plus le jour que la nuit, d'ailleurs. Un de ces matins-là, je m'éveillai en sueur, d'un sommeil lourd et adipeux. Toute la nuit, comme tant d'autres nuits, j'avais tenté de m'envoler ! Mais cette fois, en vain, hélas ! Mon pauvre corps, lesté de trop de relents de sauces riches et voluptueuses, avait tant et si bien enflé qu'il me clouait pour l'éternité à ce sol où le rêve a perdu pied...

Pour sûr ! que de centimètres de tour de taille parcourus depuis l'image lointaine du premier communiant que je fus : genoux cagneux, visage émacié, oreilles décollées... ! Voilà où m'avait mené mon métier...

Je dois vous dire que, tout comme d'autres sont *jardiniers-paysagistes*, je suis *cuisinier-gourmand* de mon état et par tempérament – mais pas du tout de père en fils – et je n'ai jamais bien su qui, du cuisinier ou du gourmand, l'emportait...

La veille au soir, la belle et mystérieuse Christine, qui avait (déjà ?) sans doute choisi de m'épouser quelques mois plus tard, m'avait gentiment murmuré au creux de l'oreille :

« Vous savez, Michel, si vous perdiez quelques kilos, cela vous irait bien. »

Quel choc ! Je compris qu'il me fallait gommer cette graisse de la honte et perdre quelque embonpoint pour gagner le cœur de Christine (et je ne savais pas encore qu'elle serait à la source de ce livre ni la part qu'elle prendrait à son écriture).

Ma joyeuse inclination à la gourmandise allait en prendre « un vieux coup » derrière les papilles.

Ainsi commençait pour moi la longue marche à travers les champs de carottes râpées et autres sympathiques délices apparentés qui vous font rapidement regretter d'avoir vu, un jour, le jour et vous entraînent joyeusement au désespoir. Le rituel « grillade-haricots verts à l'eau » me laissa vite sans voix. Déjà, je ne percevais plus l'écho merveilleux de ces sensations profondes où l'œil, le nez, le palais et le toucher entrent en lice et deviennent symphonie d'ondes à l'approche d'un plat réussi.

Je me sentis brusquement solitaire, isolé, contagieux, comme mis en quarantaine et tout envahi d'un sentiment de frustration claustrophobique.

La punition était trop rude et ne pouvait tenir ainsi, sans que je tentasse, en retour, une feinte pour l'esquiver.

Or donc, pour « vivre longtemps et sainement », ne se préoccupait-on pas déjà, avant l'avènement de Louis XIV, d'hygiène alimentaire dans les livres de cuisine ? Ce besoin n'était pas nouveau ; je me devais d'y répondre par une riposte qui tout d'abord me fît plaisir et par là modifiât quelques données de notre héritage du manger gourmand.

Ce que je fis, pendant quelques longues semaines, avec plus ou moins de bonheur et d'aisance parfois. Et puis, chemin faisant, je parvins au fil des jours à mieux dialoguer avec cette technique naissante qui, peu à peu, se laissait dompter pour accompagner mes efforts ; à nouveau, je réussis enfin à camper des recettes, un peu comme le peintre mélange ses couleurs pour atteindre à la nuance exacte.

Ayant laissé en gage aux orties quelques bons kilos, je sortais enfin du tunnel, devenu un autre homme : celui que j'étais avant. Pour moi, c'était gagné !... C'est gagné, mais tout comme qui ne sait pas nager coule à pic, qui ne connaît pas la cuisine se noie dans une tasse.

J'ai donc écrit à dessein, pour d'autres gourmands, vous tous, ce livre. Parcourez-le souvent, traitez-le en ami et la cuisine ne vous opposera bientôt plus de mystère majeur.

La première partie de l'ouvrage est une « mise en intelligence de la cuisine » et vous donnera l'entendement des phénomènes physiques et chimiques qui l'habitent.

Quant à la seconde partie, elle est un peu ma favorite... et je vous y livre, à l'envi, astuces, tours de main et recettes détaillées.

Pourtant, je n'ai pas voulu faire un livre de recettes solitaires, étrangères les unes aux autres.

J'ai voulu écrire, au contraire, « une ronde allègre de repas de fête pour maigrir » parcourue de salades fraîches comme des rires d'enfants, de poissons brillants et lourds d'odeurs de pêche interdite, de volailles parfumées, celles des déjeuners sur l'herbe de mon enfance.

Et je berce encore un vieux rêve, celui de marier un jour prochain la cuisine gourmande à la cuisine minceur et qu'elles deviennent un nouvel art de vivre pour l'honnête homme d'aujourd'hui et de demain...

Michel Guérard

De l'emploi convenable de ce livre

Il importe de ne pas utiliser cet ouvrage comme on le fait habituellement des livres de recettes : *il ne faut pas réaliser chaque recette isolément* mais décider que, pendant une semaine complète (et cela peut-être une, deux ou dix fois par an) vous faites une *semaine minceur*.

Vous composerez donc vos menus à l'avance et, pendant le week-end qui précède la semaine choisie, vous préparerez les éléments de base (les fonds en particulier) qui vous serviront tout au long de la semaine.

À titre d'exemple, vous trouverez à la page 19, 14 menus tels que je les prépare à Eugénie-les-Bains.

Enfin, si vous en avez le courage (et que vous ne travailliez pas ce jour-là), faites une *journée-bouillon* (*voir page 108*, la recette du bouillon d'Eugénie).

Mais si le cœur vous en dit (et je souhaite qu'il vous en dise...), oubliez tout ce que vous venez de lire et n'hésitez pas, pour recevoir des amis à préparer un *dîner minceur* dont le raffinement et la légèreté les surprendront.

Comme tous les repas, un repas minceur peut et doit être *une fête*, c'est le propos de ce livre.

BOISSONS

Il est préférable pour que cette semaine minceur soit pleinement réussie de ne boire ni vin ni alcool. Si la tentation est trop forte, limitez-vous à un verre de vin léger à chaque repas. Mais tenez-vous plutôt très sagement à la tisane d'Eugénie, toute parfumée des plantes du jardin. Il faut la boire en apéritif ou entre les repas. En voici la recette :

Tisane minceur d'Eugénie
Composition : fleur de bruyère, barbe de maïs, presle, uva ursi (aussi appelée busserole), queues de cerises.

Proportions : 1 cuillère à soupe rase de ce mélange en proportions égales de chaque plante, pour 25 cl d'eau.

Procéder comme dans les tisanes classiques. Pendant le temps d'infusion ajouter dans l'eau un demi-citron, une demi-orange et un petit bouquet de menthe fraîche. Pour présenter, passer et servir dans un grand verre avec des glaçons, sucrer au sucre aspartam. Ajouter le jus d'un demi-citron, décorer de fruits aux couleurs de la saison (fraises, cerises, raisins, pommes) et de quelques feuilles de menthe fraîche.

PETIT DÉJEUNER

Ce repas revêt une importance particulière pendant la cure minceur. Il convient de ne pas le négliger, mais de l'adapter. Voici les trois formules que je vous propose, vous pouvez les alterner :
— Thé au citron et œuf au plat à l'eau (*voir recette p. 156*).
— Café noir et fromage blanc maigre agrémenté de fruits rouges (fraises ou framboises).
— Tisane d'Eugénie chaude et œuf à la coque enrichi de pointes d'asperges en guise de mouillettes.

« UNE SEMAINE MINCEUR
À EUGÉNIE-LES-BAINS »

LUNDI

Déjeuner :

Tourte aux oignons doux
Gigot de poulette cuit
à la vapeur de marjolaine
Julienne de légumes
Gelée d'amandes aux fruits frais

Dîner :

Soufflé aux tomates fraîches
Sabayon de saint-pierre
en infusion de poivre
Purée d'artichauts
Banane surprise

MARDI

Déjeuner :

Mousseline de grenouilles
au cresson de fontaine
Gigot d'agneau de lait au foin
Confit Bayaldi
Blancs à la neige au coulis
de cassis

Dîner :

Soupe à la grive de vigne
Truite en papillote
à l'aneth
et au citron
Mousse de champignons
Sorbet au thé

MERCREDI

Déjeuner :

Salade de cerfeuil
à l'aile de pigeon
Poulet en soupière
aux écrevisses
et aux pois gourmands
Orange à l'orange

Dîner :

Bouillon de légumes d'Eugénie
Turbotin clouté d'anchois
à la vapeur de safran
Oignons tante Louise
Soufflé aux fraises

JEUDI

Déjeuner :

Terrine de poisson aux
herbes fraîches
Sauce grelette
Aiguillette de caneton
au poivre vert
Gratin du pays de Caux
Petit pot de crème à la vanille

Dîner :

Gâteau d'herbage à l'ancienne
Bar en cocotte
sous les algues
Purée de cresson et d'oseille
Clafoutis aux pommes d'Aurélia

VENDREDI

Déjeuner :

Salade de moules au safran
et aux cœurs de laitue
Rognon de veau « en habit vert »
Marmelade d'oignons
au vinaigre de Jerez
Ananas glacé aux fraises
des bois

Dîner :

Crème d'oseille mousseuse
Le grand pot-au-feu de la mer
et ses légumes
Tarte fine chaude
aux pommes reinettes

SAMEDI

Déjeuner :

Caviar d'aubergines
Ragoût fin d'Eugénie
Purée d'épinards aux poires
Fruits au vin rouge de Graves

Dîner :

Gâteau de carottes fondantes
au cerfeuil
Homard à la tomate fraîche
et au pistou
Biscuit d'asperges
Granité de chocolat amer

DIMANCHE

Déjeuner :

Salade de crabe au pamplemousse
Grillade de bœuf de Chalosse
aux « appétits »
Mousses de haricots verts
et de céleri
Paris-Brest au café

Dîner :

Œuf poule au caviar d'Iran
Foie de veau à la vapeur
aux blancs de poireaux
en aigre-doux
Soufflé léger aux poires

Petit lexique du langage de cuisine

J'ai volontairement éliminé de mon livre rituel des termes savants et jargon de métier, pour en rendre la lecture plus confortable et faciliter l'élaboration de mes recettes. Voici une définition très succincte de quelques termes essentiels que vous rencontrerez souvent au fil des pages.

Blanchir : opération qui consiste à plonger quelques instants – 10 secondes à quelques minutes – dans l'eau bouillante ou amenée progressivement au point d'ébullition, salée ou non, certains aliments :
— pour en éliminer l'âcreté : chou vert, oignon, ail, etc.,
— pour pouvoir les peler plus facilement : tomate, pêche, etc.,
— pour les épurer et raffermir leur chair après les avoir préalablement mis à dégorger à l'eau : abats tels que tête, pieds, ris de veau et d'agneau, etc.,
— pour en supprimer l'excès de sel : lard de poitrine salé.

Chemiser : tapisser les parois intérieures d'un récipient (moule, terrine, etc.) d'une fine couche de farce salée ou sucrée, de biscuits, de pâte, de feuilles de légumes, voire même de papier sulfurisé, aluminium…

Débarrasser : verser, après élaboration, une préparation culinaire – fond de sauce, sauce, farce, coulis, mousse de légumes, de fruits, etc. – dans un récipient propre et de bonne taille, dans le but de la conserver avant emploi, la plupart du temps au réfrigérateur après refroidissement.

Déglacer : verser dans un ustensile, où vient de cuire un aliment, viande, volaille, poisson, un liquide (vin, alcool, fond, etc.), pour faire dissoudre au fond de cet ustensile les sucs caramélisés en cours de cuisson, et obtenir ainsi un concentré de jus, qui pourra être le départ d'une sauce personnalisée.

Détendre : rendre une préparation plus souple et fluide, en lui incorporant, au dernier moment, un élément liquide, qui en corrigera la densité.

Ébarber : supprimer à l'aide d'une paire de ciseaux toutes les nageoires d'un poisson.

Émincer : opération qui consiste à couper, à l'aide d'un couteau bien tranchant (ou d'un mouli-julienne pour les légumes), en lamelles plus ou moins grosses :
— certains légumes : carotte, navet, céleri, poireau, pomme de terre, champignon, concombre, etc.,
— certains fruits : pommes, poires, pêches, etc.,
— certaines viandes : filet d'agneau, de chevreuil, de canard, etc.

Escaloper : détailler en biais et en tranches plus ou moins larges et plus ou moins épaisses :
— certains légumes : fonds d'artichauts, champignons, etc.,
— certaines viandes et volailles : veau, bœuf, agneau, canard, poulet, pigeon, etc.,
— certains poissons : saumon, turbot, etc.

Julienne : façon de détailler (c'est-à-dire couper au couteau ou au mouli-julienne) en forme de petits bâtonnets – dont la taille peut varier de celle de l'aiguille de pin, 1 mm de section x 1,5 cm de longueur, jusqu'à celle du gros bâtonnet, 4 mm de section x 4 cm de longueur :
— certains légumes potagers : carotte, céleri, poireau, champignon, etc.,
— certains fruits : zestes de citron, d'orange, etc.,
— certaines viandes : jambon, blanc de poulet, etc.

Lier : épaissir un liquide ou une préparation, par l'apport d'éléments spécifiques divers tels que céréales, corps gras, œuf, sang, etc. et par des procédés différents, de manière à lui conférer en retour onctuosité et consistance.

Mirepoix : mélange habituellement composé de légumes divers · carotte, céleri, champignon, oignon, échalote, quelquefois jambon cru accompagné du bouquet garni ; tous préalablement coupés en petits cubes ou dés de tailles variées, de 2 à 4 mm de section. Cet assortiment cuit doucement au beurre ou, à sec, dans un récipient antiadhésif, apporte un caractère aromatique supplémentaire au mets qu'il accompagne.

Napper : recouvrir délicatement un mets, voire une assiette, prêts à être servis, de la sauce d'accompagnement choisie.

Réserver : mettre de côté pour une utilisation ultérieure.

Tourner : opération qui consiste à couper ou détailler un gros légume potager (pomme de terre, carotte, navet, céleri-rave, concombre, etc.) en plusieurs morceaux et façonner ceux-ci, à l'aide d'un petit couteau d'office, en légumes-jouets ayant la forme arrondie d'une gousse ou d'une olive plus ou moins grosse.

N.B. Pour vous permettre de vous y reporter plus aisément, tous les termes du lexique, employés en cours de texte, seront présentés en caractère gras.

*Au commencement
il y eut la Terre
puis l'Homme
qui trouva le feu
alors il se mit
à cuisiner...*

CHAPITRE PREMIER

DES CUISSONS

Quel qu'en soit le mode, Mode Traditionnel :
à la Cheminée, sur le Gril, Rôti, Sauté, à la
Friture, à l'Étouffée, à la Vapeur, Braisé,
Poché ; ou, Mode Futur, la cuisson est pour
un aliment le passage de l'état cru à l'état
cuit, phénomène qui modifie son aspect
extérieur, voire sa couleur, sa mâche et sa
saveur, faisant naître ainsi un halo d'odeurs
qui éveillent à l'appétit. Le Feu, lui, en est
l'auteur aux maints visages, bois, charbon,
gaz, électricité, ondes...

Analyse et principes
des différentes cuissons
Les deux grandes lois

PAR SAISISSEMENT

Avec coloration

La méthode consiste à tenir emprisonnés, à l'intérieur de l'aliment à cuire, tous ses sucs et substances nutritives, en rissolant et caramélisant, à l'aide de la chaleur et quelquefois de la matière grasse, la surface extérieure de cet aliment.

C'EST LE PRINCIPE DES GRILLADES, RÔTIS, SAUTÉS, FRITURES

Sans coloration

On pourra obtenir le même résultat mais, sans coloration de l'aliment, en le cuisant *dans un liquide bouillant, à la vapeur* ou *dans un ustensile antiadhésif* : pochage des œufs, pâtes alimentaires, légumes, poissons, volailles, viandes.

PAR ÉCHANGE

Avec coloration

Il s'agit cette fois de *poêler* ou *braiser* viandes, volailles, gibiers, abats, c'est-à-dire de les sauter vivement dans un corps gras chaud, cela pour en retenir les sucs et substances nutritives à l'intérieur, puis, de les mouiller, à mi-hauteur, de vin, fond de veau, volaille, gibier, poisson ou autres bouillons aromatiques.

29

Les sucs, prisonniers à l'intérieur de l'aliment, vont se libérer petit à petit pour se mélanger au liquide de cuisson ; l'aliment s'enrichissant en retour des divers éléments propres à ce liquide d'où *échange*.

C'est là d'ailleurs le principe même de la confection des fonds blonds que nous verrons par la suite.

Sans coloration

Même procédé que précédemment, à cette différence que l'aliment peut être sauté dans un corps gras, mais non coloré (étuvé doucement au beurre : principe de la *fricassée*), ou dégorgé à l'eau fraîche qui enlèvera les dernières traces de sang et blanchi au besoin quelques minutes (ris de veau, blanquette, tripes, poule au blanc...) puis sauté et mis à cuire dans un ustensile antiadhésif, avec l'élément de mouillement qui deviendra le départ de la sauce grâce au phénomène *d'échange*.

À la différence des viandes, *le braisage des poissons* ne se fait pas à partir de l'élément sauté mais simplement à partir de la pièce déposée sur un plat beurré ou non, mouillée à mi-hauteur de fumet de poisson, de vin blanc ou rouge froids et mise au four recouverte d'un papier sulfurisé ou aluminium qui l'empêche de brûler.

C'est là un très bon exemple de cuisson par *échange sans coloration* : en effet, le poisson libère rapidement ses sucs et ses arômes dans le fumet, lequel développe et facilite en échange une cuisson moelleuse de l'élément principal.

Entrent également dans cette catégorie la confection des fonds blancs (volaille, poisson), consommés, le pochage des poissons à partir d'un élément parfumé froid (court-bouillon) dont on élève progressivement la température.

Les différentes techniques
de cuisson

CUISSON À LA CHEMINÉE OU AU BARBECUE

L'Homme a commencé de cuisiner sur un feu de bois : c'est là, certainement, la meilleure école de compréhension de l'art du feu et des cuissons.

J'ai développé ce chapitre à dessein par affection pour tous les inconditionnels de l'âtre, cuisiniers en herbe et cuisiniers du dimanche.

Je voulais leur dire *qu'avec un peu d'ingéniosité on peut en effet y pratiquer tous les modes de cuisson.*

CUISSON AU GRIL

C'est une *cuisson par saisissement avec coloration à l'air libre* ; la source de chaleur étant l'embrasement des ceps de vigne, bois d'arbres fruitiers ou autres (éviter les résineux), charbon de bois et l'ustensile de cuisson, le gril, sur lequel sont posées les pièces à cuire.

Il existe bien sûr des versions contemporaines de grils qui fonctionnent au gaz, à l'électricité, aux infrarouges, ou revêtent simplement la forme d'une plaque en fonte nervurée, légèrement inclinée et qui se pose directement sur le feu...

Mais on ne saurait réinventer les effluves bénéfiques du bois de cheminée sur les aliments !...

Savoir griller

Les viandes rouges

Le gril doit être propre, bien chaud et la pièce de viande, préalablement tenue à la température de la cuisine, enduite très modérément d'huile (arachide ou olive).

Comment griller au bleu

La pièce de viande, posée sur le gril, est saisie sur sa première face puis tournée d'un demi-tour sur le même côté pour obtenir le « quadrillage », cela entraîne un rissolage et la formation d'une croûte sur cette face. On opère de la même façon pour l'autre face.

Si le temps de présence sur le gril est limité, on s'aperçoit, en faisant pression avec le doigt sur la croûte, que celle-ci n'offre pas de résistance et reste molle : c'est la cuisson au *bleu*.

Pour que la viande soit cependant chaude à l'intérieur, il faut la retirer du plein feu et la tenir couverte, quelque temps, à l'écart, au tiède.

Comment griller saignant

Si l'on maintient la pièce sur le gril, un léger perlage de sang rosé affleure à la face supérieure de la grillade.

En faisant pression sur la viande, le doigt rencontre une légère résistance souple : c'est la cuisson *saignant*.

Comment griller à point

En prolongeant la cuisson, qu'il faut moins vive ; pour cela, éloigner sensiblement la viande de la grande source de chaleur, les perles de sang apparaissent plus nombreuses à la surface qui ne repose pas sur le gril.

Le doigt rencontre au toucher une pression plus dense et ferme que précédemment : c'est la cuisson à *point*.

Comment griller bien cuit

En maintenant plus longtemps cette cuisson, les perles de sang se transforment en suintements rose-marron, sur toute la surface de la viande.

Le doigt rencontre une résistance très nette : c'est la cuisson *bien cuit.*

Viandes blanches et volailles
Gibier – brochettes – charcuterie

Le feu doit être moins violent, mais le gril bien chaud avant d'y déposer la pièce à cuire.

En aucun cas, les viandes ne doivent séjourner trop longtemps sur le gril ; cela entraîne leur dessèchement.

Au contraire, il faut en arrêter la cuisson à temps pour leur conserver du moelleux. Un poulet, par exemple, ne doit pas être exsangue, mais laisser apparaître le long de l'os du bréchet une couleur rose très pâle qui est la garantie de sa bonne cuisson et la promesse du « fondant » de sa chair (piquer le filet avec une aiguille qui doit s'enfoncer toute seule et laisser perler le sang presque décoloré) ; il en va de même pour le gibier et l'agneau.

Si les éléments complémentaires de garniture des brochettes se composent de champignons, poivrons, lard, etc., il est quelquefois préférable de les cuire quelque temps avant à l'eau (non salée pour le lard) ; les éléments principaux (viande, volaille, abats, poisson) sont généralement mis à mariner au préalable (huile, thym, laurier, persil, rondelles de citron, poivre du moulin, etc., *voir recettes p. 255*).

Les poissons

Les poissons gras et demi-gras sont plus savoureux au gril (sardines, maquereaux, harengs, saumons…) qui élimine une partie de leur graisse.

Les poissons sont très légèrement enduits d'huile après avoir été quelquefois mis à mariner (*voir recettes p. 215*).

Le gril, lui aussi huilé pour éviter les déchirures lorsqu'on retourne la pièce, doit être :

Bien chaud pour les petites pièces.

Bien chaud pour les très grosses pièces qui sont généralement et seulement quadrillées au gril sur les deux faces, puis mises au four pour terminer leur cuisson.

Chaud pour les grosses pièces qui cuisent entièrement sur le gril.

Les poissons plats (barbue, turbot, raie, sole, limande...) se posent, côté peau blanche en premier, sur le gril. Les poissons ronds (hareng, maquereau, rouget, bar, sardine...) se posent, l'épine dorsale à gauche, en premier sur le gril. Certains gros poissons peuvent se détailler en tronçons et être grillés sous forme de « darnes » (saumon, colin...).

Pourtant, plutôt que d'être grillé en darne (le nom ancien « dalle » me paraît plus logique) le saumon (mariné ou non à la mode nordique, *voir marinades p. 101*), peut se détailler en bandes de 5 cm de largeur prises sur filet auquel on a conservé la peau (très important). Cette pièce de poisson est posée *côté peau* (ciselée, c'est-à-dire incisée en quadrillage à l'aide d'un petit couteau) *sur le gril et va cuire entièrement dans cette position* : la peau grillée va communiquer au poisson une agréable odeur de fumée lui conservant un moelleux de chair et une tendreté hors pair.

Les huîtres, coquilles Saint-Jacques, palourdes, pétoncles... se posent sur le gril et s'ouvrent tout seuls.

On peut les manger tels quels ou leur ajouter un tour de moulin à poivre et des fines herbes, au choix.

En Roussillon, on fait cuire les escargots à jeun et dégorgés, directement sur le gril (cargolade), on les accompagne de saucisses également grillées, de boudin catalan, de pain à l'huile et de roquefort.

ASTUCES ET TOURS DE MAIN

Le sel a la propriété de faire sortir de la viande sucs et sang et d'empêcher par là même la formation de la couche rissolée.

Il est donc toujours préférable de *saler les petites pièces de viande rouge à mi-cuisson*. Cependant, s'il s'agit *d'une grosse pièce*, où la viande est quelquefois après la cuisson découpée en tranches, ou, d'un poisson auquel on lève les filets, il est souhaitable sinon *indispensable de saler une seconde fois* après les avoir détaillés, en ajoutant aussi un tour de moulin à poivre ; en effet, le sel n'aura jamais pu, la première fois, atteindre le cœur de la viande ou du poisson.

Ceci est valable pour toutes les grosses pièces à détailler comme : le gigot, le train de côtes de bœuf, de veau, de porc, la selle d'agneau, etc.

Éviter pendant la cuisson de retourner la viande en la piquant avec une fourchette, ce qui entraînerait une déperdition des sucs et du sang.

Les grillades plus volumineuses doivent cuire plus doucement pour que la chaleur les atteigne à cœur : les sortir donc d'une zone de chaleur trop violente ; on peut en faciliter la cuisson en incisant leur peau plusieurs fois (gigot, poisson). Si la grillade a une forme qui va s'amincissant (exemple : l'aiguillette de rumsteack), tenir, pendant la cuisson, le côté mince plus éloigné de la zone de chaleur que le côté épais.

Si l'on ne craint pas les calories superflues, la viande ou le poisson peuvent être badigeonnés après cuisson, à l'aide d'un pinceau ou d'un plumet fait de plumes de volaille, d'un peu d'huile ou de beurre fondu qui les rendent brillants et jolis à regarder.

La grillade est en principe présentée côté face cuite en premier.

Après usage, lorsqu'il est encore bien chaud, le gril doit être « décrassé » à l'aide d'une brosse métallique pour en détacher tous les résidus qui donneraient en brûlant un goût amer aux prochaines grillades.

CUISSON À L'ÉTOUFFÉE DANS LA CHEMINÉE

On emprisonne l'aliment dans un papier sulfurisé ou aluminium et on le glisse sous les cendres chaudes.

Soit à sec

— Pommes de terre, champignons, asperges, etc.

— Alouette, grive, ortolan, lapereau, pigeon, etc., agrémentés de fines herbes, thym, laurier, etc.

— Pomme fruit, banane, etc. (flanquées de vanille en gousse).

Soit mouillé

On verse alors, dans le sac en papier ou papillote, avant de le refermer, vin blanc ou rouge, fumet, bouillon aromatique qui recouvrira ou noiera l'aliment à cuire. La papillote pourra être posée sur le gril et même enfouie sous les braises rouges, le liquide se trouvera absorbé complètement par l'aliment empêchant ainsi, en même temps, le papier de brûler.

CUISSON À LA VAPEUR DANS LA CHEMINÉE

On étale sur le gril du varech (algues), gorgé d'eau de mer, ou des herbes humides et sauvages des prés dans lesquels on glisse le poisson à cuire. On recouvre des mêmes éléments et il ne faudra guère plus de 20 minutes pour cuire un bar (loup) de 800 g.

CUISSON « À LA PARESSEUSE » DANS LA CHEMINÉE

Les grosses pièces de viande comme le train de côtes de bœuf, le gigot d'agneau, etc., peuvent prétendre cuire à l'âtre sans l'aide de la broche. Il suffit pour cela de bien les faire préalablement colorer et quadriller de tous côtés sur le gril, puis, de les déposer tout près du foyer sur les cendres chaudes, mais non rouges, en ayant soin de glisser dessous un papier aluminium.

Cette cuisson est plus longue que toutes les autres car elle correspond à la température d'une étuve : 100 °C environ. De temps à autre, retournez la pièce et n'ayez crainte de l'y laisser 2 à 3 heures, suivant sa grosseur. En découpant votre gigot d'agneau, vous serez stupéfait de sa tendreté et de la couleur uniformément rosée de sa chair.

CUISSON À LA FUMÉE DANS LA CHEMINÉE

Il ne faut pas confondre ce mode de cuisson avec le fumage de certains poissons (saumon, truite, esturgeon) ou volaille (oie, poulet, canard), préalablement mis en salaison ou marinés et imprégnés de fumées odorantes presque froides. Ce fumage à tiède ou à froid correspond à un « boucanage », qui est l'une des premières méthodes de conservation d'autrefois.

Ici, il s'agit, au contraire, de préparer un bon feu riche en braises, d'y mettre le gril afin de bien le chauffer, puis de saisir et faire colorer dessus, sans le cuire, l'aliment choisi (viande, volaille, poisson).

Aussitôt cette opération terminée, on étouffe le brasier à l'aide de branchages mouillés ou de sciure (chêne, aulne, peuplier ou arbres fruitiers, jamais de résineux).

On repose l'aliment, simplement saisi, sur le gril et l'on cloche : la fumée chaude emplit la cavité intérieure de la cloche et parachève lentement la cuisson de l'aliment, l'imprégnant de mille odeurs et saveurs boisées.

CUISSON À LA CHEMINÉE EN CUISINE MINCEUR

Les différents modes de cuisson à la cheminée et au barbecue qui viennent d'être évoqués s'adaptent bien en cuisine minceur à condition toutefois de prendre quelques précautions en ce qui concerne les grillades :

Si la pièce à griller est classiquement enduite d'huile avant la cuisson pour faciliter sa caramélisation, on peut « éponger », avant et en fin de cuisson, ce qui en reste à l'aide d'un papier absorbant.

Il est aussi parfaitement possible de réaliser la grillade en la trempant, avant de la poser sur le gril, dans un peu d'eau infusée de thym et de laurier au lieu de l'huile rituelle (*voir infusions p. 104*).

On peut également mettre la pièce à cuire sur un lit de gros sel étalé dans une poêle fortement chauffée (attendre que le sel crépite)

La peau de la volaille grillée ou à la broche doit être piquée à l'aide d'une aiguille pour libérer, en cours de cuisson, la graisse animale contenue dessous.

En un mot, *la cuisson à la cheminée* ouvre les ailes à l'imagination de tout amoureux de la cuisine et, à mon sens, tout cuisinier digne de ce nom devrait avoir tâté, au moins une fois, à cette école du savoir-cuire.

CUISSON RÔTIE
LES RÔTIS

Rôtir un aliment c'est le cuire sous l'action directe de la chaleur, sans humidité, et en le tournant souvent. C'est une autre version de la cuisson par *saisissement avec coloration*. Pour obtenir rissolement et caramélisation de l'aliment, il faut, comme pour les grillades, l'enduire sans exagération de corps gras (2/3 d'huile, 1/3 de beurre).

Cette cuisson se fait au four, à la broche et même, en dépannage, en cocotte ou braisière découverte.

AU FOUR

Le four (il doit être muni d'un système d'évacuation des buées) est préalablement chauffé et la température réglée en fonction de la nature et du volume de la pièce à cuire. Cette température doit être suffisamment élevée (250 °C - 300 °C, thermostat 8-9-10) pour bien saisir et permettre de conserver les sucs à l'intérieur de l'aliment.

La pièce (viande, volaille, gibier, poisson) est très légèrement enduite de matière grasse, mise au four (non salée) et posée au choix, soit à même le plat à rôtir (façon ménagère), soit dans un plat spécial, appelé lèchefrite, muni d'une grille pour qu'elle ne baigne pas dans la matière grasse ou la sauce, soit sur un lit d'os concassés et légèrement rissolés avant, soit encore sur un lit d'algues (réservé aux poissons).

Dès que le saisissement et la coloration de la pièce sont terminés, réduire légèrement l'intensité du four et arroser avec le jus qui se trouve au fond du plat (excepté celui des algues) jusqu'à complète cuisson.

On peut alors saler.

Les viandes blanches, volaille, gibier, gros poisson, réclament après avoir été saisies une température plus modérée pour parvenir à cuisson et conserver leur moelleux.

À LA BROCHE

La cuisson se déroule à la broche dans la cheminée, par conséquent entièrement à l'air libre, non saturé d'humidité et en mobilité constante grâce au tournebroche : le rôti, cuit de cette façon, est pour certains plus savoureux que celui cuit au four.

La technique de cuisson est la même que celle pratiquée au four, cependant il est préférable d'arroser plus fréquemment encore la pièce avec la matière grasse du rissolage recueillie dans le fond de la lèchefrite.

ASTUCES ET TOURS DE MAIN

Comment servir un rôti tendre

Une pièce rôtie à la broche ou au four est cuite par *saisissement avec coloration* ; la forte température en caramélise, grâce à la matière grasse, la surface extérieure, emprisonnant sucs et sang à l'intérieur.

Par le système de ramification des vaisseaux, ces sucs et sang, poussés au cœur de la pièce, permettent à celle-ci de cuire dans son jus sans perdre de substance nutritive.

Si l'on découpe le rôti juste après cuisson, on trouve, à la coupe, une couche extérieure très cuite, une autre moins cuite et la dernière, au cœur, « bleue » et contenant tout le sang qui s'échappe alors :

IL FAUT DONC LAISSER REPOSER LES VIANDES

En effet, si l'on écarte le rôti de son aire de cuisson et le conserve au tiède sur un plat recouvert d'une cloche, d'un saladier ou d'un papier aluminium, la chaleur n'exerçant plus de pression vers le cœur de la pièce, le sang, par le processus inverse va refluer vers les couches extérieures du rôti en donnant à celui-ci une couleur uniformément rosée ou rouge suivant la cuisson.

En même temps, les fibres musculaires contractées par la chaleur se détendent et se relâchent donnant par-là même toute la tendreté souhaitable.

IL EST DONC PRÉFÉRABLE QUE LE GIGOT SOIT CUIT
UNE HEURE AVANT QUE N'ARRIVENT LES INVITÉS

Saler en cours de cuisson, puis à nouveau sur chaque tranche au découpage ; agrémenter d'un tour de moulin à poivre.

Éviter pendant la cuisson de piquer le rôti avec une fourchette. Certaines viandes, un peu sèches comme le gibier, gagnent à être entourées d'une barde de lard – qui est retirée avant la fin de la cuisson pour leur permettre de dorer – et même, au besoin, lardées en enfonçant à l'intérieur de la chair des petits bâtonnets de lard à l'aide d'une lardoire (grive, perdreau, faisan, lapin de garenne, lièvre, etc.).

Si la pièce, particulièrement fragile et trop sensible à la source de chaleur, commence à brûler, l'envelopper dans un papier aluminium (y compris manche de gigot, queue du poisson...).

LES JUS DE RÔTIS

Les jus de rôtis ne sont jamais mieux confectionnés qu'en cuisine ménagère. Car la *cuisinière leur conserve instinctivement une authenticité naïve* tandis que le *cuisinier cherche souvent à en faire une sauce élaborée,* voire sophistiquée, ce qui, à mon avis, ne doit jamais être le cas.

Une viande, une volaille, un gibier ou *même un poisson* qui ont rôti au four dans un plat à bonne dimension ont laissé au fond de ce plat des sucs qui vont servir à faire le jus.

ASTUCES ET TOURS DE MAIN

Prendre soin de cuire la pièce en l'ayant badigeonnée de moitié huile et moitié beurre = 30 g par kg de viande (l'huile, pouvant supporter des températures plus élevées que le beurre, ralentit le phénomène de décomposition de celui-ci).

Ajouter dans le plat une ou plusieurs gousses d'ail non épluchées (suivant son goût) et enfourner dans le four chauffé à l'avance.

Au bout de dix minutes de cuisson, arroser le rôti avec le jus déjà obtenu, et le retourner dès qu'il est coloré d'un côté. Répéter plusieurs fois cette opération.

Sortir le plat du four, enlever le rôti et le garder au chaud en le couvrant ; vérifier si les sucs qui masquent le fond du plat sont assez caramélisés (veiller à ce qu'ils ne *noircissent en aucun cas*, ce qui donnerait au jus un goût amer irrécupérable).

Dégraisser en partie (il doit rester dans le jus 1/4 des graisses, qui lieront la sauce à l'ébullition).

Déglacer, c'est-à-dire ajouter le double d'eau chaude du volume de jus que l'on veut obtenir et décoller à l'aide d'une cuillère toutes les particules (sucs) caramélisées au fond du plat pour les faire dissoudre dans l'eau chaude de déglaçage.

Laisser bouillir et réduire de moitié (compter deux cuillères à soupe par personne).

Passer ce jus à la passoire fine en foulant l'ail à l'aide d'une petite louche (facultatif), si l'on veut une sauce un peu aillée.

On peut également incorporer à la fin, pour obtenir un jus plus doux, quelques parcelles de beurre que l'on mélange en donnant au plat un mouvement rotatif (*voir recette p. 75*), mais aussi, quelques gouttes d'un bon vinaigre de vin rouge qui dégagera mieux le caractère du jus.

Comment corser le jus de rôti
On peut faire dorer autour du rôti et pendant sa cuisson : quelques os de veau concassés pour un rôti de bœuf ou de veau, quelques os d'agneau pour un gigot ou un carré, quelques carcasses de volaille brisées pour une volaille, etc. Au moment du déglaçage, on remplacera l'eau chaude de déglaçage par du bouillon de veau, agneau, volaille (fond léger).

LA CUISSON RÔTIE EN CUISINE MINCEUR

Si les deux versions du rôti au *four* ou à la *broche* sont réalisées dans de bonnes conditions, on peut considérer ces méthodes applicables à la « cuisine minceur » ; en effet, la matière grasse employée en petite quantité est simplement là pour empêcher après rissolement, la pièce de brûler.

Comme pour les grillades minceur, les volailles doivent être piquées avec une aiguille pour laisser s'écouler la graisse animale logée entre viande et peau. Et dans ce cas, pour faire le jus, il suffit d'éliminer toute la graisse déposée dans le plat de cuisson (au four) ou dans la lèchefrite (à la broche).

Une fois la graisse complètement éliminée du plat de cuisson, ou de la lèchefrite, y mettre à reposer, couvert, le rôti pendant 15 à 20 minutes avant de le servir.

Les sucs de suintement du rôti vont être le départ d'un excellent jus de rôti maigre (*voir recette des jus de rôti p. 40*).

En version minceur, à l'encontre des conseils du boucher, les pièces de bœuf ou de veau doivent être rôties « à vif » et non emmaillotées de bardes de lard gras.

CUISSON SAUTÉE
LES SAUTÉS

LA CUISSON SAUTÉE EST UN MOYEN RAPIDE
DE PRÉPARER DES PLATS EN SAUCE SAVOUREUX

Cette cuisson « à la minute » par *saisissement* se rapproche à la fois de celle des grillades et des rôtis puisqu'il s'agit de cuire rapidement dans une casserole plate, sauteuse ou sautoir – une poêle peut également remplir ce rôle –, enduite de moitié huile, moitié beurre (compter en tout 15 g par personne), des *petites pièces* de viande, abats, volaille, gibier, poisson, légumes qui, toujours au contact de la matière grasse chaude, vont se caraméliser, rissoler, enfermant à l'intérieur sucs et sang.

C'est dans la finition de la cuisson que réside la différence technique.

FORMULE GÉNÉRALE

Une fois sautées, dorées des deux côtés, salées et cuites à souhait (bleues, saignantes, à point, bien cuites, comme pour les grillades), retirer les pièces de la sauteuse ou de la poêle et les déposer sur un plat chaud près du feu.

Dégraisser généralement la sauteuse en versant la graisse dans un bol.

Déglacer*, c'est-à-dire verser dans la sauteuse, suivant la recette, un liquide (vin blanc, vin rouge, vinaigre, madère, porto, jerez, noilly, armagnac, cognac : 2 cuillères à café d'alcool ou 2 cuillères à soupe de vin par personne) ; ce liquide porté à ébullition fera dissoudre les sucs caramélisés et déposés dans le fond de la sauteuse. Laisser réduire le volume des 3/4.

Ajouter, suivant la nature des pièces traitées et par personne, de 3 à 5 cuillères de fond de veau, de volaille, de gibier ou de fumet de poisson (*voir p. 65*).

Laisser réduire de moitié.

Retirer du feu et incorporer par un mouvement rotatif de la sauteuse des parcelles de beurre (30 g par personne) ou de crème (50 g par personne). (*Voir chapitre des liaisons au beurre p. 75.*)

La sauce obtenue ne doit pas être « un bain de pieds » mais au contraire une sauce courte qui doit juste recouvrir la pièce sautée et s'étaler délicatement autour.

Les pièces, une fois sautées, doivent être **réservées** à part au chaud et ne doivent jamais bouillir avec l'élément de déglaçage (alcool, vin, fond), ce qui les transformerait en *ragoût*.

Voici deux exemples

Pièce de bœuf sautée au bordeaux

Retirer la pièce cuite (contre-filet de 500 g pour 2 personnes) de la sauteuse, où il faudra laisser un peu de matière grasse et

---

* Pour tous ces mots en gras voir le lexique p. 21.

ajouter une cuillère à soupe d'échalote hachée qui va « fondre » dedans.

Déglacer de 4 cuillères à soupe de bordeaux.

Laisser bouillir et réduire des 3/4 du volume.

Ajouter 8 cuillères à soupe de fond de veau.

Laisser bouillir et réduire de moitié.

« Monter » avec 60 g de beurre frais et selon votre goût, enlever ou non les échalotes.

Napper (recouvrir) la pièce de viande de cette sauce en la décorant de deux rondelles de moelle pochée.

Escalope de veau sautée à la crème (1 personne)

Opérer comme précédemment mais **déglacer** au noilly ou porto sans ajouter d'échalote.

Ajouter 2 grosses cuillères à soupe de crème double.

Laisser réduire de moitié et **napper** l'escalope.

ASTUCES ET TOURS DE MAIN

Cette recette, pour être parfaite, doit presque être réalisée « *au moment* ».

La taille de la sauteuse doit correspondre à la quantité de viande à sauter : si le fond de la sauteuse n'est pas entièrement recouvert des aliments à sauter, la matière grasse brûle rapidement dans les parties vides et communique à la sauce un goût amer lors du déglaçage.

Les petites pièces (tournedos, côtelettes, escalopes…) sont cuites à découvert et rapidement.

Les pièces plus grosses, donc un peu plus longues à cuire après rissolement (cuisses de volaille, morceaux de lapin), sont cuites à couvert et plus lentement.

Comment bien cuire un poisson « à la meunière »

La cuisson dite « à la meunière », réservée aux poissons (truite, brocheton, lotte de rivière, rouget, sole, daurade, colineau, etc.) ou à d'autres aliments comme la cervelle, est une forme de cuisson sautée mais qui s'arrête avant le déglaçage de la pièce.

Prenons l'exemple de la truite

Mettre dans une poêle ou un plat ovale de la taille du poisson, moitié huile, moitié beurre – environ 20 à 30 g en tout, ce mélange évite au beurre de colorer trop rapidement. Facultatif : ajouter une gousse d'ail non épluchée : le parfum de l'ail reste très discret et communique à l'ensemble de la préparation une nuance subtile.

Mettre à chauffer sur le feu.

Essuyer le poisson sur un papier absorbant ou un linge pour l'assécher.

Saler, poivrer, puis passer très légèrement les deux faces du poisson à la farine. Tapoter pour en enlever le surplus.

Déposer le poisson sur la matière grasse chaude.

Laisser cuire sans excès de chaleur chaque face du poisson, environ 4 minutes, en lui laissant prendre une belle couleur blonde.

Enlever le poisson et **réserver** à part au chaud.

Si la cuisson a été bien menée, le peu de beurre qui reste dans le plat est encore blond. Le rapprocher d'une source de chaleur plus intense et y déposer à nouveau 50 g de beurre pour le transformer en beurre noisette : au contact de la chaleur le beurre devient blond et ne « chante » plus (l'eau qu'il contenait s'est évaporée).

L'arroser d'un jus de citron qui va le faire mousser et verser immédiatement sur le poisson après avoir enlevé la gousse d'ail.

IL EST À MON AVIS IMPÉRATIF DE CUIRE LE POISSON
DANS UN MINIMUM DE MATIÈRE GRASSE

Pendant la cuisson un poisson doit conserver intact son goût de mer ou de rivière et non se transformer en « éponge à beurre ».

LA CUISSON SAUTÉE EN CUISINE MINCEUR

Elle peut se faire grâce aux ustensiles antiadhésifs qui permettent d'éviter l'emploi de corps gras.

Cependant quoiqu'une forme de *saisissement* se produise sur la surface des pièces à sauter, il n'y a pas à proprement parler de caramélisation qui laisse ce goût agréable aux sucs déposés dans le fond de l'ustensile de cuisson.

Un court séjour en marinade *(voir chapitre des marinades p. 101)* comblera agréablement ce manque.

Si l'on veut réaliser une cuisson *sautée minceur* tout en conservant la méthode classique, il faut prendre soin :

De déposer après cuisson les aliments sautés sur un papier absorbant pour éliminer toute trace de matière grasse.

De dégraisser complètement l'ustensile de cuisson et de n'y laisser que les sucs attachés au fond.

Lors du déglaçage, de faire réduire par ébullition, et ce pratiquement jusqu'à évaporation complète, alcools et vins, pour en éliminer l'éther, l'arôme restant seul présent.

De prévoir évidemment d'autres liaisons que le beurre et la crème ! (nous l'indiquons dans nos recettes).

CUISSON EN FRITURE

LES FRITURES

La cuisson en friture est une cuisson par *saisissement avec coloration*. Faire frire consiste à plonger un aliment dans un bain de matière grasse ou « friture », porté à 170 °C au maximum (huile d'arachide, d'olive, végétaline, saindoux, graisse de rognon de bœuf, de veau, de cheval) et à l'y maintenir jusqu'à complète cuisson, le beurre et la margarine étant exclus à cause de leur décomposition à forte température. Pour faciliter cette opération, les aliments à traiter doivent être bien secs et de taille assez petite afin que la température les atteigne rapidement à cœur.

Il faut également les jeter à frire en petite quantité afin de ne pas abaisser trop rapidement la température de la matière grasse.

FRITURE SANS ENROBAGE

Les pommes de terre : frites, pailles, allumettes, pont-neuf, chips, soufflées.

Les pâtes à choux : beignets soufflés, pets de nonne. Les pâtes brisées : beignets de carnaval.

Les pâtes levées : beignets de brioche.

Les œufs frits.

Les herbes : persil, oseille (doivent être mis dans une friture peu chaude pour conserver leur couleur).

Les petites volailles : poussins, ortolans.

FRITURE AVEC ENROBAGE

À la farine :

Les petits poissons (friture).

Les plus gros en tranches (darne).

Procédé : tremper dans du lait froid, puis saler et passer dans la farine en tapotant pour en enlever le surplus.

À la panure ou chapelure :

Volaille, poisson, escalope de veau...

Procédé : l'aliment est préalablement enduit à l'œuf battu mélangé d'huile et recouvert de mie de pain séchée.

À la pâte à frire :

Beignets de fruits (pomme, abricot, banane...).

Beignets de légumes (choux-fleurs, salsifis...).

Beignets de viande (cervelle).

Beignets de poisson (brandade de morue).

A la pâte feuilletée :

Rissoles de truffes...

ASTUCES ET TOURS DE MAIN

Comment réussir les pommes de terre frites

Les pommes de terre (Bintje de préférence) sont détaillées en bâtonnets d'épaisseurs différentes selon votre goût – de 1 cm pour les pommes dites pont-neuf à 3 mm pour les pommes dites allumettes –, lavées à l'eau froide puis épongées dans un linge.

Faire chauffer le bain d'huile à température moyenne 150 °C. On teste la température en jetant une frite dans l'huile ; si elle remonte presque aussitôt (25 secondes) en bouillonnant, c'est que la friture est à point.

Plonger les frites et les laisser cuire une première fois pendant 7 à 8 minutes. Si l'on en prend une entre les doigts après l'avoir laissée refroidir, la pulpe doit s'écraser : la frite est cuite.

Les sortir à l'aide d'une écumoire, araignée (ou simplement du panier à friture) et les **débarrasser** sur une plaque garnie d'un linge ou d'un papier absorbant.

Amener le bain d'huile à 170 °C (surtout ne pas faire fumer l'huile) et replonger les frites à l'aide du panier à friture en remuant celui-ci pour qu'elles restent bien détachées ; 2 à 3 minutes suffisent pour les rendre dorées et croustillantes.

Les sortir à nouveau du bain d'huile et les déposer sur la plaque dont on aura changé le linge ou le papier absorbant.

Les saupoudrer de sel fin en les mélangeant, ou mieux, de sel du moulin.

C'est à la seconde plongée dans l'huile plus chaude que la surface des frites acquiert une pellicule imperméable qui va être gonflée par la volatilisation de l'eau renfermée à l'intérieur (principe des pommes soufflées).

Il est indispensable de contrôler la température de l'huile (friteuse électrique à thermostat ou thermomètre spécial de contrôle) qui ne doit pas dépasser 170 °C.

Passé cette température, l'huile devient vite toxique.

Comment réussir la petite friture de poissons

Un ami pêcheur, dont le métier peu commun est de réempoissonner lacs et étangs de France, m'a enseigné un grand nombre de choses ignorées sur les poissons d'eau douce, entre autres, une façon exquise de frire les petits poissons.

Il se garde bien de les passer à la farine avant de les jeter dans la friture ; il les enfile tout simplement, telles les perles d'un collier, sur un jonc aquatique, les met à sécher un moment au soleil ; puis il les frit. Le résultat est d'une légèreté sans pareille.

LA CUISSON EN FRITURE EN CUISINE MINCEUR

Les aliments cuits à la friture absorbent une partie de la matière grasse dans laquelle ils sont cuits.

C'est dire qu'il n'y a pas d'huile « miracle »...

Parallèlement, la digestibilité des fritures est très médiocre en raison de leur teneur en corps gras cuits.

Ce mode de cuisson est donc quelque peu audacieux à pratiquer en cuisine minceur...

Toutefois, les « inconditionnels » de la frite devront se souvenir de ces quelques règles de bon sens :

La friture ne peut guère être utilisée plus de 4 ou 5 fois.

Après chaque utilisation, il est bon de laisser déposer, au fond du bain de friture, tous les déchets et impuretés et de passer celui-ci doucement dans un autre récipient au travers d'une passoire fine (chinois-étamine).

Le conserver toujours à l'abri de l'air dans un récipient étanche.

Dans la tentative d'élaboration forcenée d'une frite à « tendance minceur », tous les éléments traités devraient cuire dans une friture ne dépassant pas 140 °C.

... Enfin, la pomme de terre frite peut être, dans ce sens, judicieusement remplacée par le céleri-rave (très peu calorique) que l'on accommode de la même façon : le résultat est assez surprenant...

CUISSON À L'ÉTOUFFÉE
À LA VAPEUR – EN VESSIE – EN PAPILLOTE – EN CROÛTE –
LES BRAISÉS – LES RAGOÛTS

La cuisson à l'étouffée est une cuisson, par *saisissement ou par échange* (quelquefois les deux) en vase clos, des aliments qu'accompagnent soit leur propre jus, soit un liquide aromatisé qui en relève le goût.

Il y a alors formation de vapeurs odorantes qui pénètrent l'aliment, lequel libère ses sucs pour enrichir en retour le jus d'accompagnement.

CUISSON À LA VAPEUR

Il s'agit là d'une cuisson à l'étouffée par *saisissement,* puisque l'aliment ne va emprunter pour cuire que les vapeurs enrichies d'un bouillon aromatisé ou pas, sans rien lui communiquer en retour. On peut bien entendu utiliser, comme base, le plus simple des bouillons, l'eau salée.

Voici le principe de base de cette cuisson :

Il suffit de prendre un récipient de la taille et de la forme de l'aliment à cuire – une casserole, une cocotte en fonte, un couscoussier peuvent très bien remplir ce rôle – que l'on remplit, au quart de son volume, de bouillon aromatisé ou non, maigre ou gras selon les besoins.

On pose alors, à l'intérieur de l'ustensile choisi, une grille à pieds ou une plaque percée qui va affleurer le liquide bouillant et laisser passer la vapeur jusqu'à l'aliment posé sur la grille, et le cuire ainsi.

À partir de ce principe, deux *moyens originaux* de procéder :

L'aliment à cuire peut être posé sur une litière d'algues (poissons de mer) ou d'herbes sauvages de la prairie (poissons de rivière), puis recouvert à nouveau de celles-ci, arrosées d'une louche d'eau pour faire partir la cuisson et provoquer la vapeur.

On pourra opérer de même pour cuire un gigot ou un jambon en remplaçant les algues par du foin parfumé.

Dans le principe de base énoncé ci-dessus, lorsque la vapeur est obtenue à partir d'un bouillon riche en parfum et sucs (volaille, viande, légumes), ce bouillon pourra être le départ de la sauce d'accompagnement.

Cela ne peut être appliqué dans la cuisson aux algues ou au foin qui ne sont pas récupérables.

CUISSON EN VESSIE

La cuisson en vessie – cuisson par *échange* – est une des formes de la cuisson à l'étouffée. La vessie devient l'ustensile de cuisson dans lequel est hermétiquement enfermé l'aliment à cuire (volaille, pot-au-feu... mais pourquoi pas gigot ?), farci ou non et accompagné de quelques cuillères d'un excellent bouillon de poule ou de bœuf très « fruité », auquel on peut ajouter une ou deux cuillères à soupe de madère, porto, jus de truffes, ou truffe entière, fines herbes, champignons secs...

— La vessie de porc doit être bien lavée et retournée (les odeurs désagréables qui pourraient s'en dégager ou se régénérer lors de la cuisson se retrouvent ainsi à l'extérieur).

— On y introduit l'aliment et l'on ferme la vessie en la resserrant à l'aide d'une ficelle ; puis on la pique de la pointe du couteau pour pratiquer de petits trous qui jouent le rôle de soupapes de sécurité – sans cela la vessie, sous la pression, se détacherait pendant la cuisson – ; enfin :

— Soit, on l'immerge dans une cocotte d'eau chaude en ayant soin d'attacher la ficelle de fermeture à la poignée de cette cocotte ;

— Soit, on la pose simplement dans la partie supérieure du récipient à vapeur (le couscoussier se prête très bien à cette opération).

On peut également employer une marmite à cuisson sous pression.

Ces cuissons à la vapeur sont plus rapides que les autres, une poularde de 2,5 kilos sera cuite moelleuse en 3/4 d'heure-1 heure environ.

CUISSON EN PAPILLOTE

La cuisson en papillote est une autre forme de cuisson à l'étouffée par *échange*. Seul l'habit varie.
L'aliment est quelquefois :

Précuit, voire cuit
Ris de veau, saucisse, boudin, andouillette, saucisson, pied de porc farci ou non, côte de veau (recouverte d'une purée de champignons ou d'une **mirepoix** de légumes), etc.

Ou cru
Tous les poissons et crustacés.
Le petit gibier, grive, alouette, ortolan, lapereau, etc.
Escalopes de foie gras.
Pommes de terre, champignons (truffe, cèpe, etc.).
Pomme fruit, banane.

Pour réaliser cette cuisson, on enferme hermétiquement l'aliment choisi dans une feuille de papier sulfurisé, huilé ou non, que l'on replie sur l'aliment en forme de chausson aux pommes, en pinçant les bords pour qu'il n'y ait pas déperdition de vapeur.

Prenons deux exemples

Une pomme fruit épluchée et épépinée entière, poudrée de sucre semoule, arrosée de rhum, enfermée avec 1/2 gousse de vanille et une noix de beurre dans un sac façonné en papier aluminium et glissée sous les cendres chaudes (ou dans un four) demande 15 minutes de cuisson.
Une escalope de saumon cru, assaisonnée, posée sur un papier sulfurisé, garnie d'une cuillère à café d'échalote hachée finement, d'une cuillère à soupe de julienne de légumes (carotte, céleri,

champignons, *voir recette p. 234*) arrosée d'une cuillère à soupe de fumet de poisson, d'une cuillère à soupe de vin blanc et enrichie d'une noix de beurre frais. Le papier est replié en forme de chausson et le tout cuit à four très chaud sur un plat huilé, pendant 6 minutes.

Ces deux méthodes de cuisson – vessie, papillote – restent très originales, car, jusqu'au moment de leur ouverture, elles permettent *d'exacerber et de sublimer les parfums* concentrés et retenus en elles.

C'est en fait grâce à ces habits – vessie et papillote – sorte de « complets sur mesure », que le phénomène d'osmose pendant la cuisson, peut atteindre ce degré de perfection.

CUISSON EN CROÛTE

Cette cuisson, cuisson à l'étouffée, tout comme les précédentes, a pour but de concentrer les arômes de l'aliment à cuire – auquel peuvent être ajoutés d'autres ingrédients, fines herbes, purée de champignons... – en l'habillant d'une croûte comestible ou non, qui en épouse parfaitement les formes.

En croûte comestible

Dans certains cas l'aliment est déjà saisi pour que ses sucs restent bien concentrés à l'intérieur : on attend alors qu'il soit refroidi avant de l'enrober de pâte.

Exemples : filet de bœuf, selle ou gigot d'agneau (désossé), poulet, coq, gibier (caille, grive, alouette, bécasse, faisan). Ceux-ci sont enrobés, au choix, de pâte feuilletée, pâte à brioche, pâte brisée, pâte à pâté et mis à cuire au four.

L'aliment peut être enrobé cru par les pâtes citées ci-dessus : c'est le cas des pâtés en croûte en général.

Dans les deux cas, on pratique sur la couche de pâte supérieure 1 ou 2 trous, auxquels on adapte un petit tuyau de papier façonné du diamètre du petit doigt. Celui-ci va servir de « cheminée » par laquelle l'excédent de vapeur s'évacue, évitant ainsi à la pâte de craqueler puis de se rompre pendant la cuisson.

Cette croûte est préablement badigeonnée, au pinceau, d'œuf battu pour obtenir une belle coloration pendant la cuisson.

Pour les recettes de cuisine en croûte, voir notre livre : LA CUISINE GOURMANDE.

En croûte non comestible

La plus fréquemment utilisée en cuisine est faite d'un mélange de gros sel humecté, additionné d'un peu de farine.

On peut, après l'avoir bien saisi sur la plaque à rôtir, cuire au four, un train de côtes de bœuf (5 à 6 côtes) entièrement enrobé de cette carapace de gros sel permettant une cuisson lente et souple.

C'est aussi une bonne recette de poulet « rôti ».

On recouvre de gros sel le fond d'une cocotte préalablement habillée de papier aluminium, on y dépose la volaille que l'on « enterre » entièrement sous une autre couche de gros sel. On met à cuire à découvert, à four chaud ; lorsque le temps de cuisson est accompli (1 heure pour une volaille de 1,5 kilo), on démoule « ce gâteau de sel » et l'on en sort un poulet aussi croustillant que s'il avait été rôti...

À la campagne on a longtemps utilisé l'argile pour cuire les petits oiseaux et certaines volailles comme le coquelet, pintadeau, pigeon...

Ces oiseaux et volailles sont vidés *sans être plumés*, assaisonnés, farcis ou non, puis enrobés d'une couche d'argile.

On les met sous la braise ou on les enfourne au four moyen tels quels.

L'argile en cuisant devient un second four hermétique.

Il suffit alors, après cuisson, de casser la croûte dans laquelle les plumes sont restées collées pour libérer la volaille moelleuse à souhait.

LES BRAISÉS – LES RAGOÛTS

Le braisage est par excellence la *cuisson par échange*.

Préalablement saisi sur toutes ses faces dans un corps gras (sauf pour le poisson), l'aliment doré, et accompagné de légumes sous forme de mirepoix, est mouillé jusqu'à mi-hauteur d'un liquide aromatisé (bouillon, vin, fond de veau, *voir recette p. 65*).

Une cocotte à fond épais (ou mieux une braisière) fermant hermétiquement en favorisera la cuisson qui doit être *douce, longue et régulière*, entraînant un attendrissement des fibres de l'aliment et, par l'apport des sucs qui en sont issus, une augmentation de la sapidité du jus de cuisson qui se transforme en sauce riche et parfumée.

Comment bien réussir ces préparations

Prenons l'exemple d'une pièce de bœuf braisée (aiguillette de rumsteck) :

Faire larder la viande par le boucher (cette opération consiste à transpercer, dans le sens de la fibre, la viande à l'aide d'une lardoire garnie d'une longue lanière de lard gras – 1 cm de côté – cela plusieurs fois sur toute la longueur de la pièce – 6 à 8 fois environ – pour bien « truffer » la viande). Le lard, ainsi incrusté, apportera pendant la cuisson moelleux et saveur au cœur de la viande.

Si vous choisissez de braiser une joue de bœuf (peu utilisée, elle est pourtant un merveilleux morceau à braiser), sa texture gélatineuse lui apporte une souplesse naturelle suffisante.

Mettre cette pièce à mariner (*voir marinade p. 101*) pendant une nuit, afin qu'elle s'imprègne pleinement de parfums de vins et saveurs végétales (légumes et bouquet garni).

Au sortir de la marinade, éponger la pièce de bœuf dans un linge, puis, dans une cocotte en fonte où vous aurez fait chauffer de l'huile, faites-la dorer accompagnée d'un os – « crosse » – de veau.

Une fois la viande uniformément rissolée, la retirer de la cocotte et la remplacer par les légumes de la marinade ou, mieux, par leur poids correspondant d'une mirepoix de légumes (*voir recette p. 23*), y ajouter le bouquet garni et 2 gousses d'ail non épluchées.

Faire cuire ces légumes doucement (5 à 6 minutes) puis poser la pièce de bœuf dessus.

Ajouter le jus de marinade passé au chinois et faire bouillir jusqu'à évaporation de la moitié du liquide ; puis, verser du fond de veau (*voir recette p. 65*) ou bouillon de bœuf de manière à mouiller la pièce à mi-hauteur.

Assaisonner très modérément, car la sauce se corse spontanément en cuisant. Couvrir dès le départ de l'ébullition, en ayant soin de la maintenir, douce et régulière, pendant toute la cuisson. Celle-ci peut se faire au four ou sur le gaz, à condition, dans ce cas, de placer une plaque isolante entre la flamme et le fond du récipient.

La cuisson est achevée lorsqu'en piquant la viande avec une aiguille (à brider ou tricoter) celle-ci s'y enfonce absolument sans effort.

Dresser la viande sur un plat à l'aide d'une écumoire. La sauce qui s'est concentrée pendant la cuisson doit être passée avec soin et complètement dégraissée.

Utiliser pour la verser une petite louche et, pour tamiser, la passoire – chinois – que l'on aura doublée d'un papier absorbant. Enfin, l'amener à l'épaisseur voulue en la laissant encore réduire.

Remarques : le braisage des grosses pièces de veau (noix, selle, quasi, cuisseau entier) se pratique de la même façon, en faisant toutefois attention, lors du saisissement de la viande, à ne pas ou presque pas provoquer de coloration (braisage à blanc).

Le ris de veau (préalablement dégorgé à l'eau fraîche, mais non obligatoirement blanchi comme il est d'usage de le faire) peut être saisi et coloré à brun, ou saisi sans coloration à blanc.

Les légumes braisés sont généralement couchés dans un plat sur une garniture aromatique grasse, mouillés ou non à hauteur, de fond de volaille ou bouillon de poule puis recouverts d'une couenne et cuits à couvert.

Les poissons braisés font exception en ce sens, qu'ils ne sont pas cuits enfermés, dans l'ustensile de cuisson mais, disposés sur un plat beurré assaisonné et recouvert d'échalotes hachées ; mouillés à mi-hauteur d'un mélange moitié fumet de poisson, moitié vin (blanc ou rouge suivant la recette) et mis à cuire au four, couverts d'un papier sulfurisé ou aluminium beurré en guise de couvercle et protection.

En règle générale pour conserver leur moelleux, les aliments braisés doivent être arrosés de leur jus à l'aide d'une cuillère ou d'une petite louche, pendant tout le temps de leur cuisson.

Même très cuits, les braisés restent toujours savoureux : la viande « tombe en charpie » et peut ainsi se manger « à la cuillère ». C'est ainsi, que vers la fin de sa vie, le maréchal duc de Richelieu, quelque peu édenté mais gourmand impénitent, demandait qu'on lui préparât les pigeons…

Les ragoûts subissent la même cuisson que les braisés, mais se pratiquent sur *des viandes ou des volailles coupées en morceaux* (bœuf bourguignon, navarin de mouton, veau marengo…).

Après avoir été saisis et colorés ils sont parfois « singés », c'est-à-dire saupoudrés de farine, de préférence torréfiée (*voir p. 73*) afin d'établir dès le départ la liaison du jus.

CUISSON À L'ÉTOUFFÉE EN CUISINE MINCEUR

LA CUISSON À LA VAPEUR OFFRE DANS CE DOMAINE DE RÉELS AVANTAGES : cuisson odorante en vase clos, elle provoque, en se faisant, une sudation des graisses de l'aliment tout en lui conservant ses substances nutritives essentielles (sels minéraux, vitamines) et sa saveur originelle.

LES CUISSONS EN VESSIE ET EN PAPILLOTE, grâce à l'alliance de l'arôme des différents produits mis en contact, permettent d'élaborer une cuisine naturelle dépouillée et très parfumée, sans aucun apport de matière grasse.

DE LA CUISSON EN CROÛTE, nous retiendrons celles de l'enrobage au gros sel et à l'argile.

LES BRAISÉS ET LES RAGOÛTS, contrairement à ce que l'on pourrait penser, peuvent figurer sur les tablettes de la cuisine minceur, il suffit pour cela de prendre quelques précautions :

La viande doit être parfaitement dégraissée.

Celle-ci aussitôt rissolée, jeter l'huile restant au fond de la cocotte, éponger la viande avec un papier absorbant et remettre à cuire avec le jus de mouillement.

S'il reste encore un peu de graisse dans la sauce, faire refroidir le braisé une nuit au réfrigérateur et, le lendemain, enlever à l'aide d'une cuillère la pellicule de graisse qui se sera formée à la surface.

CUISSON POCHÉE

Pocher un aliment c'est le cuire par immersion dans un liquide (eau, bouillon, fond, fumet, court-bouillon, sirop...). Les cuissons pochées peuvent être réalisées soit à partir de l'immersion dans un liquide froid, soit dans un liquide en frémissement léger, mais aussi dans un liquide à bouillonnement intense.

CUISSON À PARTIR DU LIQUIDE FROID

C'est une cuisson par *échange avec ou sans coloration*.

Le départ à froid permet, en évitant le *saisissement*, de libérer les saveurs de l'aliment à cuire au bénéfice du bouillon qui va les recueillir ; c'est le cas du pot-au-feu, cuit ainsi, pour la saveur de son bouillon au détriment de celle de sa viande, de l'élaboration du fond de veau (avec coloration préalable des os au four), du fumet de poisson (sans coloration des arêtes) (*voir recettes p. 69*).

Si en contrepartie, on veut conserver sapidité et parfum à l'aliment à cuire, il faut incorporer au bouillon, pour l'enrichir, condiments, végétaux, vins, sucs de viande ou de poisson... cela, afin qu'il « paie » de retour l'aliment qui y cuit.

EXEMPLES :

Poisson poché au court-bouillon ou au fumet de poisson.

Poularde pochée dans un bouillon de poule.

Cervelle pochée au court-bouillon vinaigré.

Si les aliments cuits ainsi doivent être servis froids, il est préférable de les laisser refroidir dans leur cuisson en arrêtant celle-ci un peu avant le temps normal.

Les légumes secs (haricots, lentilles, pois cassés) après avoir été soigneusement triés et lavés, quelquefois mis à tremper auparavant (haricots), sont démarrés en cuisson à l'eau froide, que l'on porte à ébullition, écumés, salés au gros sel et aromatisés (carotte, bouquet garni, oignon, clou de girofle).

CUISSON À PARTIR DU LIQUIDE CHAUD

C'est une cuisson par « *saisissement* » *sans coloration*.

La cuisson à chaud permet de conserver en propre à l'aliment cuit presque toute sa saveur et ses éléments nutritifs.

Les légumes verts doivent être cuits dans beaucoup d'eau salée (de 10 à 20 g au litre) à découvert et à gros bouillons. Cuisson des poissons dite « au bleu », le poisson est assommé, vidé, arrosé de vinaigre (qui lui donnera la teinte bleue) et plongé dans un court-bouillon frémissant.

Cuisson des œufs à la coque, et pochés.

Cuisson des pâtes fraîches, sèches, du riz ; après cuisson prendre soin de rincer à l'eau tiède ou même froide pour en ôter l'empois – amidon – qui rendrait l'ensemble collant. Cuisson des fruits par pochage dans un sirop généralement vanillé (poires, pommes, pêches, abricots, framboises, etc.).

ASTUCES ET TOURS DE MAIN

Comment cuire « vert » les haricots verts

Il faut se souvenir que certains légumes, dont les haricots verts, contiennent des acides organiques qui, au contact de la chaleur, déclenchent une modification de leur couleur initiale, la faisant passer du vert tendre au vert « caca d'oie ». Il faut se souvenir aussi que ces acides sont volatils, qu'il faut donc les laisser s'échapper rapidement afin qu'ils n'aient pas le temps d'altérer la couleur des haricots verts.

Pour cela, pratiquer de la façon suivante :

Faire bouillir de l'eau dans un récipient en cuivre étamé ou en métal inoxydable (éviter les métaux qui altèrent l'eau), la saler à raison de *20 g* de gros sel au litre.

À forte ébullition, y jeter les haricots verts qui doivent cuire à gros bouillons et à découvert pour libérer les acides volatils. Les haricots verts se mangent « al dente », c'est-à-dire, légèrement résistants sous la dent quand on les croque.

Éviter donc la surcuisson qui entraîne une dégénérescence de la couleur, du goût et des vitamines.

Un haricot vert extra-fin, frais cueilli, cuit en *4 minutes* ; prolonger de quelques minutes ce temps de cuisson s'il est plus gros et moins frais.

Les sortir rapidement de l'eau de cuisson à l'aide d'une écumoire et les tremper 10 secondes dans un récipient rempli d'eau glacée ; cette opération permet de contrôler et d'arrêter instantanément la cuisson, mais aussi, de dessaler en partie le légume « sur-salé » volontairement au départ (20 g au litre), pour obtenir une cuisson rapide et d'en fixer joliment la couleur.

Comment cuire « tendre » les asperges

Comme chacun sait, l'asperge est rarement mangée entière, la tête étant très tendre et la queue très ligneuse, cette dernière reste souvent sur l'assiette.

Voici un moyen très simple de parer à la chose :

Après avoir été lavées et pelées les asperges sont rangées dans le sens de la hauteur, tête en l'air, dans une boîte de conserve vide où l'on aura pratiqué toute une série de trous la transformant en véritable passoire.

Il suffit ensuite d'immerger progressivement la boîte dans l'eau de cuisson bouillante en trois étapes successives, de 3 minutes chacune, selon la grosseur de l'asperge.

Si l'asperge est fraîche et de taille moyenne, les étapes de cuisson seront de 3 minutes, chacune des étapes correspondant aux trois niveaux différents de l'asperge à cuire : queue, corps, tête.

La queue, plus dure, aura donc cuit 9 minutes, le corps, 6 minutes, et la tête, 3 minutes... et vos asperges seront uniformément tendres...

CUISSON POCHÉE
EN CUISINE MINCEUR

Pocher ne veut pas dire « cuire à l'eau » avec tout ce que cela sous-entend de triste, voire de désespérant !

Un homard cuit à l'eau salée, par conséquent dans une reconstitution d'eau de mer, exprime pleinement sa saveur naturelle...

Les légumes cuits ainsi et, accommodés, au sortir de leur cuisson, d'un simple petit morceau de beurre cru et de quelques fines herbes hachées fraîches sont en eux-mêmes un plat délicieusement savoureux.

Il faut pour cela prendre l'habitude de les laver rapidement, ne leur laissant pas le temps de perdre leurs sels minéraux dans l'eau de lavage et les cuire comme je l'ai indiqué pour les haricots verts.

Parallèlement, ces eaux de cuisson devenues « bouillon » peuvent être récupérées pour faire par exemple des potages. Si un aliment gras cuit de cette façon, ses graisses fondent et surnagent à la surface, il est alors facile de les éliminer à l'aide d'une écumoire, d'une petite louche ou d'un papier absorbant.

En outre, la cuisson pochée rend les aliments, traités ainsi, particulièrement digestes.

CHAPITRE DEUXIÈME

DES LIAISONS ET DES SAUCES

La renommée de la Cuisine Française est née de ses Sauces. Le Saucier en est le Magicien. Dans ce jeu alchimique, les Fonds sont les Racines qui leur permettent de fleurir et les Liaisons, l'onctuosité, Catalyse voluptueuse, qui leur permet de s'épanouir. Ils sont l'une des Pierres Angulaires de la Cuisine.

Les trois grands fonds

Les fonds en conserve de grande qualité (veau, volaille, poisson) n'existent pas dans le commerce. C'est à notre sens une grosse lacune car, par ce biais, la ménagère pourrait enfin atteindre à son rêve ancestral : confectionner toutes les sauces qu'elle lorgne avec envie dans les livres de cuisine professionnelle...

Entre-temps, foin des complexes !... Il n'est point si difficile qu'il y paraît...

Aussi, tout comme vous le faites avec allégresse hors de la confection sacrée des provisions annuelles de confitures pour la nichée, je vous convie, Madame, à « gaspiller » un ou deux après-midi à ces trois recettes de fonds.

Si vous vous tenez fidèlement et avec méthode à la progression de la recette donnée, vous passerez avec succès ce cap un peu mystérieux des sauces, vous serez fière de vous et vos amies en pâliront de jalousie...

FOND BLOND DE VEAU

Ingrédients nécessaires à la confection d'un litre de fond

— 2 litres d'eau froide
— 1 kg d'os de veau concassés, os de cuisse (crosse)
— 500 g de nerfs et parures de bœuf

— 50 g de jambon cru
— 100 g de carottes ⎫ coupés en petits
— 100 g de champignons ⎬ cubes de 1/2 cm
— 50 g d'oignon ⎭ de côté (**mirepoix**)
— 15 g de céleri branche
— 1 cuillère à café de cerfeuil
— 1/2 cuillère à café d'estragon
— 1 gousse d'ail écrasée
— 1 échalote hachée
— 1 bouquet garni
— 1 cuillère à soupe de tomate concentrée
— 2 tomates fraîches épépinées
— 10 cl de vin blanc sec

Développement de la recette

Étape 1

Faire colorer les os dans un plat à rôtir 15 minutes à four très chaud, à sec sans matière grasse. Pendant la coloration les retourner plusieurs fois à l'aide d'une petite écumoire.

Ajouter le jambon, les nerfs et parures, carottes, oignons, échalote, ail, repasser au four, et faire suer (c'est-à-dire chauffer sans colorer) les légumes pendant 5 minutes.

Mettre os et légumes dans une casserole ou un petit pot-au-feu. Verser dessus les 10 cl de vin blanc sec et faire bouillir jusqu'à évaporation quasi totale. Ajouter l'eau froide, les tomates (fraîches et concentrées) et le bouquet garni.

Entretenir à cuisson lente et à découvert trois ou quatre heures. Pendant ce temps, n'avoir de cesse d'en dégraisser et écumer parfaitement la surface pour éliminer au fur et à mesure toutes les impuretés qui s'y forment.

Puis, passer ce jus de veau, environ un litre, à la passoire très fine (chinois-étamine) dans un récipient en attendant son emploi.

Pour assurer un dégraissage complet, il suffit, après cuisson, de ranger le fond au réfrigérateur. S'il reste des graisses, elles se solidifient à la surface et il est alors aisé de les enlever.

Étape 2 : LA DEMI-GLACE

Pour arriver à une consistance plus dense de ce fond, on peut le lier très légèrement de la façon suivante :

Diluer, au fond d'une tasse, une cuillère à soupe de fécule ou d'arrow-root (manioc), dans 5 cl d'eau ou de vin blanc.

Verser progressivement ce mélange dans le litre de fond de veau bouillant en remuant bien avec un fouet pour obtenir une liaison parfaite.

Remettre à bouillir doucement, pour réduire, le fond de moitié par évaporation. Pendant cette opération, le fond va encore se dépouiller, c'est-à-dire que le restant d'impuretés continue de remonter à la surface et y forme une pellicule gris-brun, que l'on enlève à l'aide d'une louche ou de l'écumoire.

Étape 3 : LA GLACE

On peut également atteindre à cette onctuosité sans liaison ; il suffit de réduire davantage, en le faisant bouillir lentement, à feu très doux, le litre de fond de veau sans cesse écumé. On atteint le résultat parfait de cette réduction (appelée glace de viande) lorsqu'en trempant une cuillère dedans celle-ci se trouve recouverte d'une couche bien enrobante et luisante qui correspond environ au dixième du volume initial.

Utilisation

Utilisation de 1 : pour beaucoup de plats en sauce, soit comme élément de mouillage, soit comme adjonction de liquide pour cuire ragoûts, coq au vin, matelotes, fricassées, etc.

Utilisation de 2 : base des sauces où soit l'alcool, soit le vin, chauffé et réduit a servi à déglacer, c'est-à-dire à dissoudre les matières et les sucs attachés au fond de l'ustensile dans lequel une viande a cuit : pièce de bœuf sautée au vin rouge.

Utilisation de 3 : son apport mesuré éveille une sauce muette et sans charme, pour la rendre tendre et généreuse.

Remarque 1 : ce fond peut se préparer à l'avance et se conserver en récipient de verre ou de plastique, soit au réfrigérateur (8 jours), soit au congélateur, soit en petits pots que l'on fait stériliser (60 minutes) et qui seront conservés plusieurs mois dans un endroit frais.

Remarque 2 : le fond et la glace de gibier se font de la même façon que le *blond de veau* : avec des os et des parures de gibier. On ajoute, en outre, à ces ingrédients, cinq baies de genièvre et un brin de sauge.

FOND BLANC DE VOLAILLE

Ingrédients nécessaires à la confection d'un litre de fond

— 2 litres d'eau froide
— 1 kg de carcasses concassées et abattis de volailles ou une poule
— 100 g de champignons ⎫ coupés
— 100 g de carottes ⎭ en lamelles
— 1 oignon de 50 g
— 1 échalote hachée
— 1 poireau
— 1 petite branche de céleri
— 1 gousse d'ail écrasée
— 1 bouquet garni
— 1 clou de girofle
— 10 cl de vin blanc sec

Développement de la recette

1. FOND BLANC DE VOLAILLE

Mettre les carcasses concassées dans une casserole avec les légumes.

Faire chauffer, ajouter le vin blanc et faire bouillir jusqu'à évaporation quasi totale.

Ajouter l'eau froide, le bouquet garni et l'oignon piqué du clou de girofle.

Laisser cuire doucement à petit feu et à découvert pendant trois heures, en écumant fréquemment.

Passer le litre de bouillon restant au chinois et débarrasser au froid pour conservation avant emploi.

Remarque : le fond blanc de veau se prépare de la même façon en remplaçant les carcasses de volaille par le même poids d'os de veau blanchis (ébouillantés une minute). Personnellement je préfère la subtilité du fond de volaille.

2. FOND BLOND DE VOLAILLE

Se prépare comme le *fond blond de veau* (*voir recette p. 65*), en remplaçant les os de veau par des carcasses rissolées de canard, de préférence. Ne pas oublier d'ajouter de la tomate concentrée (1 cuillère à soupe).

Utilisation

Utilisation de 1 : pour le mouillage des préparations cuites à blanc (blanquettes, fricassées, poules au blanc, etc.) ; de certains potages et cuissons de légumes (riz, laitues, etc.).

Utilisation de 2 : pour le mouillage court de certaines préparations de volaille (poulet au vinaigre, etc.).

FOND OU FUMET DE POISSON

Ingrédients nécessaires à la confection d'un litre de fumet

— 1 litre 1/2 d'eau froide
— 1 kg d'arêtes et de têtes de poisson (sole pour un meilleur parfum, turbot, barbue, merlan). Éviter les poissons gras
— 1 échalote hachée
— 100 g d'oignons ⎱ en tranches
— 50 g de champignons ⎰ émincées fines
— 1 bouquet garni avec beaucoup de queues de persil
— 25 g de beurre
— 25 g d'huile d'arachide
— 10 cl de vin blanc sec

Développement de la recette

Étape 1 : LE FUMET

Mettre à dégorger les arêtes de poisson à l'eau froide, sauf si elles sont très fraîches. S'il y a des têtes de poisson, les débarrasser de leurs branchies avant emploi.

Faire suer pendant 5 minutes, c'est-à-dire revenir à l'huile et au beurre, sans coloration, légumes et arêtes concassés grossièrement.

Mouiller avec les 10 cl de vin blanc et porter à ébullition jusqu'à évaporation quasi totale.

Verser l'eau froide, le sel, ajouter le bouquet garni.

Faire reprendre l'ébullition et laisser cuire à feu doux et à découvert pendant 20 minutes.

Pendant ce temps, écumer chaque fois que la pellicule d'impuretés se reforme à la surface du bouillon.

Passer le fumet (il doit en rester 1 litre) au chinois ou à la passoire fine, en foulant légèrement à l'aide d'une petite louche, les arêtes tombées au fond du chinois.

Verser dans un récipient et mettre au froid en attendant l'emploi.

Étape 2 : LA GLACE DE POISSON

Pour obtenir la glace de poisson, procéder de la même façon que pour la glace de viande, c'est-à-dire :

Laisser bouillir le fumet à feu doux.

Continuer d'écumer pendant la réduction.

Arrêter l'opération quand il reste environ 10 cl de liquide devenu sirupeux et luisant.

Débarrasser également en mettant au froid.

Utilisation

Utilisation de 1 : sert de liquide de cuisson pour cuire les poissons pochés à court mouillement et les poissons braisés.

Utilisation de 2 : apporte les mêmes résultats que la glace de viande.

Analyse et principes des liaisons et des sauces

ou

COMMENT RÉUSSIR UNE SAUCE ONCTUEUSE À PARTIR D'UN « BOUILLON CLAIR »

PAR LA LIAISON DITE AUX CÉRÉALES ET AMIDONS

L'épaississement souhaité du liquide de base, ou liaison, s'obtient par addition de l'amidon que l'on trouve dans les farines. Farines indigènes : blé, maïs (maïzena), riz (crème de riz), orge (crème d'orge), pomme de terre (fécule) ; ou farines exotiques : manioc (arrow-root).

Au contact de la chaleur et en milieu humide l'amidon va provoquer cet épaississement et créer la liaison.

Ce mode d'élaboration des sauces tend à disparaître ; pourtant, à la limite, préparé subtilement, il serait hygiéniquement parlant plus léger à la digestion qu'une sauce nourrie outrancièrement de beurre et de crème réduite.

Toutefois, mon sentiment personnel de la chose me conduit à n'appliquer à fond ni l'une, ni l'autre de ces méthodes pour la cuisine gourmande et à n'y faire appel que très rarement en cuisine minceur.

J'en indique ici les principes pour mémoire.

LIAISON À CHAUD : LES ROUX

Qu'il soit brun, blond ou blanc, le *roux* se compose d'un mélange en parties égales, de beurre fondu plus ou moins chauffé et de farine, dont l'association homogène préalable permettra ensuite de lier le liquide choisi.

71

Cependant, si l'on choisit de n'employer que la moitié de la quantité de beurre, on obtiendra une sauce « lipidiquement » plus légère.

Le passage du roux blanc au roux brun s'obtient en remuant le premier, à l'aide d'un fouet sur le feu, jusqu'à la coloration voulue pour le second (coloration donnée, par la chauffe simultanée du beurre et de la farine).

Celui-ci peut également être réalisé d'une autre manière, préférable parce que plus légère et *moins toxique* – pas de beurre trop fortement chauffé.

On fera simplement fondre du beurre comme pour le roux blanc, en y ajoutant son poids correspondant en farine torréfiée – c'est-à-dire préalablement étalée sur une plaque et colorée marron clair à four doux.

Recette du roux blanc

Pour réaliser un litre de sauce :
— 35 g ou 75 g de beurre
— 75 g de farine
— 1 litre d'élément de mouillement (Lait – Bouillon de volaille – Bouillon de viande – Fumet de poisson, etc.)

Développement de la recette

1. Faire fondre le beurre dans une casserole (ne pas le laisser colorer).
2. Ajouter la farine.
3. Mélanger rapidement avec un fouet, pour obtenir, grâce à l'élasticité du gluten contenu dans la farine, une pommade lisse et homogène. Laisser cuire 5 à 10 minutes à feu doux.
4. Laisser refroidir un peu le roux.
5. Verser progressivement dessus, bouillant, le liquide de mouillement choisi et remuer avec le fouet pour éviter les grumeaux.
6. Porter lentement une seconde fois l'ensemble à ébullition et laisser cuire doucement 20 minutes ; la sauce lourde au départ va se relâcher pour s'alléger pendant cette cuisson.

Utilisation

— Sauce béchamel,
— Velouté de volaille,

— Velouté de poisson,
— Sauce civet, etc.

La *méthode* qui consiste à *singer* – saupoudrer de farine blanche ou torréfiée – les morceaux de viande sautés et rissolés qui serviront à confectionner ragoûts, estouffades, fricassées à brun, se rapproche par l'esprit du principe des roux.

LIAISON À CRU ET À FROID

Liaison à la fécule

Quand une sauce paraît trop claire, on peut la lier en délayant de la fécule de pomme de terre à l'eau froide ou au vin blanc ; progressivement et rapidement mélanger cette dilution au liquide bouillant que l'on souhaite épaissir. Compter entre 20 g et 80 g de fécule pour 1 litre de liquide.

Laisser cuire environ 15 minutes en laissant bouillir.

Liaison à la farine avec beurre ou crème maniés

Pour les mêmes raisons que ci-dessus, mais pour apporter une saveur et un moelleux particuliers, on peut épaissir une sauce au beurre ou à la crème *maniés*. Ceci correspond d'ailleurs à un « roux cru ». Mélanger à froid l'un ou l'autre de ces deux corps gras avec de la farine – 1/3 de farine, 2/3 de beurre ou de crème –, et incorporer au liquide à lier cette préparation en petites parcelles, tout en remuant à l'aide d'un fouet, jusqu'à obtention de l'épaisseur voulue.

L'épaississement se déclare presque immédiatement.

PAR LA LIAISON À L'ŒUF

Battre les jaunes d'œufs auxquels on peut éventuellement ajouter de la crème fraîche, et les incorporer à une partie du liquide prélevé que l'on veut épaissir.

Remélanger ceci au tout et faire chauffer en fouettant, mais surtout ne pas faire bouillir afin d'amener un épaississement pro-

gressif, la surchauffe au-delà de 70 °C entraînerait le durcissement des jaunes d'œufs qui se dissocieraient alors de l'ensemble.

Utilisation

— Potages veloutés,
— Sauce poulette,
— Blanquette, etc.

UNE LIAISON À L'ŒUF ORIGINALE EN CUISINE MINCEUR :
LE SABAYON LÉGER

Monter ensemble au fouet jaunes d'œufs et eau froide dans la
proportion suivante : 4 jaunes pour 9 cl d'eau.

En s'alvéolant d'air grâce au fouet, le mélange va considérable-
ment prendre du volume. Il suffit alors de l'incorporer très rapidement à l'aide du fouet à la sauce ou au potage bouillant que l'on
veut lier : le jaune d'œuf en suspension se coagule au contact de
la température et transmet à l'ensemble un épanouissement de
volume et une impression de grande légèreté.

PAR LA LIAISON AU SANG, AU CORAIL

Sang de porc, gibier, poisson (lamproie), etc. Corail de crustacés (homard), etc.

Même technique que précédemment en remplaçant les jaunes
d'œufs par le sang, ou le corail du homard (quelquefois mélangés au
départ avec de la crème fraîche ou du beurre). Ne pas faire bouillir.

Utilisation

— Coq au vin,
— Civets de gibiers,
— Civets de poissons, matelotes,
— Homard à l'américaine.

PAR LA LIAISON AU CORPS GRAS

LIAISON AU BEURRE OU À LA CRÈME FRAÎCHE

En langage culinaire, on dit « monter une sauce au beurre ». *Cette liaison au beurre* a pour but d'épaissir mais surtout de nourrir la sauce en la rendant plus onctueuse. Il suffit pour cela d'incorporer à feu très doux des parcelles de beurre frais à la sauce que l'on veut épaissir, en faisant décrire à la casserole – sauteuse – des cercles rapides sur elle-même. On peut également faire bouillir ensemble à plein feu les deux éléments à lier (sauce + beurre) ; on obtient alors une sauce moins crémeuse mais plus brillante.

Pour lier la crème fraîche, il suffit de porter l'ensemble à ébullition et de laisser réduire.

LIAISON PAR ÉMULSION

La liaison par émulsion est un mariage réussi et homogène de deux produits, à l'origine non miscibles entre eux, exemple : eau et corps gras – huile, beurre, crème, etc.

Un troisième corps, étranger aux deux premiers mais ami, va servir « d'entremetteur » ou de catalyseur et rendre cette union possible : jaune d'œuf, moutarde, etc.

Les sauces émulsionnées à froid (mayonnaise et ses dérivés) et les sauces *émulsionnées à chaud* (béarnaise, hollandaise et leurs dérivés) restent souvent pleines d'aléas pour la maîtresse de maison.

Pour les lui rendre moins « capricieuses » à réussir, j'en ai développé les recettes, in extenso, à la fin du présent chapitre, sous le titre *Illustration des sauces*.

PAR LA LIAISON AU FOIE GRAS

Comme pour la liaison au beurre, incorporer à la sauce, mais en la fouettant hors du feu, un mélange – 2/3 de foie gras cuit et 1/3 de crème fraîche – broyé rapidement au mixer ou simplement écrasé à la fourchette.

75

PAR LA LIAISON AUX PURÉES DE LÉGUMES

Un procédé précieux en cuisine minceur

Elle s'obtient par l'adjonction au liquide à lier d'un certain volume de pulpe, très finement broyée, de légumes cuits.

Ces légumes peuvent cuire, selon les recettes, soit en compagnie des viandes et poissons dont ils serviront à lier la sauce a posteriori, soit séparément.

Ces purées de liaison sont riches de teneur en vitamines et leur assimilation est rendue meilleure du fait de l'éclatement de la cellulose des légumes après cuisson, qui évite le dépôt de résidus acides dans l'organisme. Le mélange subtil et dosé des légumes qui les composent est à base d'harmonies aromatiques très nouvelles. *C'est là un des principes fondamentaux de ma cuisine minceur, on en trouvera l'application dans beaucoup de mes recettes.*

On peut aussi créer d'autres harmonies originales à partir de mariages judicieux fruits-légumes.

PAR LA LIAISON AUX YAOURTS, FROMAGES BLANCS
(0 % DE MATIÈRE GRASSE)

Nous verrons plus loin que ce mode de liaison entre également dans les astuces de la cuisine minceur mais sans excès toutefois car le yaourt laisse généralement un goût aigrelet et le fromage blanc à 0 % de matière grasse une impression de sécheresse au palais – qui peut être en partie combattue.

AUTRES MODES DE LIAISON

Certaines liaisons peuvent également se faire grâce à des « agents de liaison » spécifiques, tels les alginates – issus d'algues marines – ou les gommes alimentaires végétales : gomme de caroube, etc.

Illustration des sauces
Quelques sauces phares
de tradition française

Voici, à présent, quelques recettes chères de tous temps à notre « Hexagone gourmand » et l'illustration détaillée de leur élaboration. Tout d'abord, l'universelle Mayonnaise, puis la Béarnaise si légère et leur cousine rustique et savoureuse le Beurre Blanc ; venue tout droit de la mer, sauvage, c'est l'Américaine et, enfin, sensuelle et terrienne, la Sauce Périgueux.

SAUCES PAR ÉMULSION

J'ai donné ci-avant p. 75, la définition du principe de l'émulsion.

Je vous livrerai au chapitre IV *Des Recettes Minceur*, le secret des méthodes délicates et nouvelles permettant de traduire ces « grandes sauces » en cuisine légère.

SAUCES ÉMULSIONNÉES À FROID :
LA MAYONNAISE
(*voir son interprétation en cuisine minceur page 126*).

Ingrédients de base

— 1 œuf
— 1 cuillère à café de moutarde blanche
— sel
— poivre du moulin (cayenne ou blanc)
— 20 cl d'huile (arachide, olive ou autre, selon votre goût)

La grande cuisine minceur

— quelques gouttes de vinaigre (de vin de préférence) ou jus de citron (il accompagne mieux l'huile d'olive)

Développement de la recette

1. Séparer le jaune du blanc d'œuf.
2. Mettre le premier dans un bol, y ajouter moutarde, sel, poivre, blanc de préférence, pour qu'il ne laisse pas de grains noirs dans la sauce.
3. Battre en tournant avec un petit fouet ou tourner à l'aide d'une cuillère en bois. Lorsque les éléments sont bien mélangés, verser l'huile en filet mince, en continuant de tourner énergiquement et souplement.
4. Au fur et à mesure que la sauce épaissit, ajouter, petit à petit, le vinaigre ou le citron pour la **détendre**.
5. Finir d'incorporer l'huile et rectifier l'assaisonnement si besoin est.

ASTUCES ET TOURS DE MAIN

Employer le jaune d'œuf et l'huile à la même température (celle de la pièce).

Ne pas ajouter l'huile trop rapidement.

Si la sauce est « tournée » :

La remélanger petit à petit à un peu de moutarde.

Conserver cette sauce dans un endroit tempéré, mais pas au réfrigérateur : l'huile figerait et les autres éléments, à nouveau libérés, se dissocieraient.

Utilisation

— Pour accompagner avec « piquant » poissons et viandes froides.

— Pour **lier** moelleusement les macédoines de légumes ou de viandes.

Cette sauce devient surtout intéressante lorsqu'on lui ajoute d'autres éléments qui la personnalisent.

En voici donc quelques variantes

Sauce aïoli : mayonnaise à l'huile d'olive, purée d'ail cru, pulpe de pomme de terre cuite.

Sauce antiboise : mayonnaise à l'huile d'olive, ail, coriandre, cerfeuil, persil hachés.

Sauce andalouse : mayonnaise, purée de tomates et dés de poivrons doux.

Sauce tartare : mayonnaise, câpres, cornichons, oignons, persil, cerfeuil, estragon hachés.

Sauce vendangeur : mayonnaise, vin rouge, échalote.

Sauce Vincent : mayonnaise, purée d'oseille, persil, cerfeuil, cresson, ciboulette, œufs durs hachés.

SAUCES ÉMULSIONNÉES À CHAUD :
LA BÉARNAISE
(*voir son interprétation en cuisine minceur page 138*).

Ingrédients et ustensiles de base, pour huit personnes

— 1 dl de vinaigre de vin rouge
— 50 g d'échalotes hachées
— 5 g de poivre en grains concassés ou « poivre mignonnette » que l'on obtient en concassant les grains de poivre sous une casserole ou autre instrument à fond plat et lourd

Ingrédients de réduction

— 2 cuillères à soupe d'estragon haché (hors saison, utiliser de l'estragon au vinaigre en diminuant de 1/3 ces proportions)
— 1 cuillère à café de cerfeuil haché
— sel

Ingrédients de liaison et de finition

— 5 jaunes d'œufs
— 300 g
- de beurre (clarifié ou, mieux, cru), ou
- de crème double, ou
- de crème dite fleurette

Ustensiles de cuisson

— Un bain-marie inoxydable.
— Une casserole (sauteuse) de grandeur adaptée, en cuivre étamé ou inoxydable.
— Un chinois-étamine (passoire fine).

Développement de la recette

Selon que l'on a choisi de réaliser la recette au beurre clarifié, au beurre cru ou à la crème, il y a 3 manières différentes de procéder.

Dans le premier cas, laisser fondre le beurre doucement dans le bain-marie sur le coin du feu, il devient « clair » comme de l'huile d'olive et libère un dépôt blanchâtre qui se forme au fond du récipient, le petit-lait.

Dans le second cas, il suffit d'amener le beurre cru à la température de la pièce (20 °C), mais pas trop mou, et de l'incorporer en parcelles aux éléments de réduction.

Je préfère cette seconde formule qui donne à la sauce, grâce à la présence du petit-lait, un parfum de beurre plus fruité.

Dans le troisième cas, on peut employer de la crème double ou de la crème fleurette – l'emploi de cette dernière en fait une sauce merveilleusement légère.

Dans les deux derniers cas, en raison de la température plus basse du corps gras – beurre ou crèmes – il y aura lieu de maintenir la casserole plus longtemps sur la source de chaleur.

— Mettre dans la sauteuse les éléments de réduction (vinaigre, échalote, poivre, estragon), allumer le gaz et faire réduire des 3/4, pendant environ 5 minutes (il doit rester 3 à 4 cl de liquide).

— Laisser refroidir, et pendant ce temps séparer les jaunes d'œufs des blancs.

— Ajouter les jaunes à la réduction et remettre le tout sur feu doux, en commençant à les battre fortement à l'aide du fouet. Amener progressivement la température de la réduction et des jaunes à 65 °C (température de coagulation du jaune d'œuf – le dos du doigt trempé légèrement dans le mélange doit supporter aisément le contact de la chaleur).

Le rôle du fouet dans cette opération essentielle est d'uniformiser la température des jaunes d'œufs en coagulation, en incorporant de l'air pour « soulever » la sauce et la rendre plus légère.

— Le mélange épaissit alors et devient crémeux ; dès que les mouvements du fouet laissent apparaître le fond de la casserole, incorporer petit à petit soit le beurre clarifié tiède, soit le beurre cru en parcelles, soit la crème, en continuant de fouetter.

— Garder au chaud, à couvert, à température douce (60 °C) sur le coin du fourneau, éviter les bains-marie trop chauds. On peut servir la sauce telle quelle, ou la passer avant au chinois-étamine, en y ajoutant après de l'estragon et du cerfeuil fraîchement hachés.

ASTUCES ET TOURS DE MAIN

Que peut-il arriver pendant la confection de la recette ?

— Les jaunes d'œufs deviennent trop épais, la température qui les coagule est trop élevée : ajouter quelques gouttes d'eau froide.

— Les jaunes d'œufs moussent mais ne forment pas une crème : la température qui les coagule est trop basse : s'approcher plus près de la source de chaleur.

— En fin de confection, la sauce « tourne » : mettre un peu d'eau chaude (si la sauce est trop froide) ou d'eau froide (si la sauce est trop chaude) dans un récipient propre, et verser dessus, petit à petit en fouettant souplement, dans un mouvement latéral, la sauce tournée en la « remontant ». Cette opération de secours nuit cependant à la qualité de la sauce qui perdra de sa légèreté alvéolée.

— Il est possible de réussir ces sauces émulsionnées à chaud (on devrait dire à tiède), *en les terminant au mixer* : une fois les jaunes montés et coagulés dans la réduction, *les mettre dans le mixer et ajouter le beurre ou la crème :* c'est une garantie de succès.

Utilisation

Pour accompagner de leur « moelleux » :
— œufs pochés,
— poissons pochés ou grillés,
— viandes grillées,
— asperges.
Cette sauce peut être personnalisée presque à l'infini par l'adjonction d'éléments complémentaires.

La sauce Choron est une béarnaise enrichie pendant ou après montage de tomates concassées (2 cuillères à soupe pour 300 g de beurre).

La sauce arlésienne, mêmes éléments que pour la Choron, plus essence d'anchois.

La sauce Foyot, béarnaise enrichie de 2 cuillères à café de glace de viande.

La sauce paloise, béarnaise où dans les éléments de réduction on remplace l'estragon par de la menthe fraîche.

La sauce tyrolienne, béarnaise où l'on remplace dans les éléments de liaison le beurre par de l'huile additionnée de purée de tomates.

La sauce hollandaise est une béarnaise dont la réduction est tout simplement remplacée par de l'eau froide – 1 cuillère à café par jaune d'œuf – et terminée par l'apport de jus de citron – 1/2 citron pour 300 g de beurre.

— La sauce mousseline est une sauce hollandaise où, après montage, on ajoute de la *crème fouettée*.

— La sauce maltaise est une hollandaise enrichie de jus et zestes d'oranges blanchis à l'eau.

— La sauce moutarde est une sauce hollandaise où l'on ajoute de la moutarde blanche.

Remarque : il est à noter que *l'action mécanique primordiale du fouet à main* (méthode empirique) *ou de sa transposition moderne, le mixer,* désarticule dans les sauces émulsionnées à froid et à chaud les molécules des jaunes d'œufs et des matières grasses pour les homogénéiser et contribuer ainsi à la liaison de la sauce.

Son action est tellement essentielle que, dans le cas du beurre blanc, comme nous allons le voir, elle permet de se dispenser de l'élément principal de catalyse : le jaune d'œuf...

UNE SAUCE « COUSINE » : LE BEURRE BLANC
(voir son interprétation en cuisine minceur page 140).

Ingrédients et ustensiles de base pour 4 personnes

— 1/2 verre d'eau
— 1/2 verre de vinaigre de vin
— 2 cuillères à soupe d'échalotes hachées
— 250 g de beurre frais ou mieux demi-sel breton
— Sel, poivre
— 1 petite casserole « sauteuse » à fond épais
— 1 petit fouet

Développement de la recette

1. Mettre à feu moyen la casserole garnie de l'eau, du vinaigre et des échalotes finement hachées.

2. Faire réduire, par évaporation, cette préparation jusqu'à ce qu'elle prenne la consistance d'une marmelade mouillée.

3. Laisser tiédir en ramenant la température autour de 60 °C.

4. Ajouter peu à peu, en fouettant, les parcelles du beurre tout juste sorti du réfrigérateur ; l'ensemble devient crémeux.

5. Finir d'incorporer le beurre en accentuant le fouettage et en remettant la casserole à feu plus vif pour compenser la température du beurre.

6. Saler puis poivrer avant de servir.

On peut passer cette sauce au chinois-étamine pour éliminer les échalotes hachées.

Personnellement je les y laisse pour conserver au beurre blanc toute son authenticité rustique.

En voici une deuxième version spontanée

Celle-ci démontre précisément que, même en l'absence du fouet, l'action seule du bouillonnement intense du liquide organise « spontanément » la liaison de l'eau et du beurre :

1. Prendre les mêmes ingrédients que précédemment mais ne laisser évaporer que les 2/3 de l'eau et du vinaigre.

2. Laisser bouillir à plein feu et poser une tablette de 250 g de beurre froid au centre du liquide.

3. Celui-ci fond progressivement et se trouve emporté dans le tourbillon du liquide qui s'épaissit simultanément.

Le beurre blanc est achevé.

Pour le rendre encore plus léger, y ajouter au dernier moment 4 cuillères à soupe d'eau en fouettant vivement le mélange qui va mousser.

L'AMÉRICAINE, UNE SAUCE SAUVAGE
QUI NOUS VIENT DE LA MER

Ingrédients principaux pour 6 personnes

— 1 homard vivant de 800 g
— 1 cuillère à soupe d'huile d'olive
— 1 cuillère à soupe d'huile d'arachide
— 1 cuillère à soupe de beurre froid
— 2 échalotes ⎫
— 1 carotte ⎬ hachés en petits dés **(mirepoix)**
— 1/2 oignon ⎭
— 1 gousse d'ail non épluchée et grossièrement écrasée
— 1 bouquet garni avec une petite branche d'estragon
— 3 tomates fraîches concassées
— 1 cuillère à soupe de tomate concentrée
— 3 cuillères à soupe d'armagnac ou de cognac
— 1/4 de litre de vin blanc
— 1/4 de litre de fumet de poisson (*voir recette p. 69*) ou d'eau
— Sel, poivre, cayenne (1 pointe)

Ingrédients de liaison

— 50 g de beurre frais écrasé avec le corail et les intestins du homard
— 1 cuillère à café rase de farine (facultatif)

Ustensiles de préparation

— 1 bol
— 1 casserole large à bords peu élevés (sautoir)
— 1 casserole à fond épais
— 1 écumoire
— 1 fouet
— 1 gros couteau

Développement de la recette

1. Détacher la queue et les pinces du homard vivant. Briser ces dernières avec le dos d'un couteau lourd pour faciliter l'extraction de leur chair après cuisson.

2. Fendre le coffre, ou partie antérieure de l'animal, en deux dans le sens de la longueur.

3. Jeter la poche pierreuse qui se trouve dans le haut de la tête.

4. Enlever à l'aide d'une cuillère à café la partie verte (intestins et corail) que l'on réserve dans un bol.

5. Tronçonner la queue en plusieurs morceaux.

6. Faire chauffer huile et beurre dans la casserole plate (sautoir).

7. Y faire suer (cuire légèrement sans colorer) les légumes : carotte, oignon, échalotes, ail, bouquet garni.

8. Les retirer à l'aide d'une écumoire en les égouttant pour laisser la matière grasse au fond du sautoir.

9. Les remplacer par le homard, détaillé en morceaux salés et poivrés et laisser rougir sa carapace.

10. Ajouter l'armagnac ou le cognac et couvrir la casserole : l'alcool doit bouillir, réduire des 3/4 et imprégner le homard de son parfum *sans flamber*.

Le flambage est à mon sens inutile et risque surtout de brûler et noircir les petites pattes du homard, communiquant à la sauce un vilain goût amer.

11. Recouvrir de la **mirepoix** de légumes, des tomates fraîches concassées et tomate concentrée, assaisonner de sel, poivre et pointe de cayenne.

Mouiller avec le vin blanc et le fumet de poisson.

Laisser cuire à feu vif 10 minutes à couvert.

12. Retirer les morceaux de homard (dont la chair sera **réservée** pour une salade de homard par exemple).

Laisser bouillir et réduire à découvert 1/3 du volume de la sauce.

13. Passer la sauce au chinois-étamine dans une autre casserole.

Incorporer les ingrédients de liaison (beurre, corail, intestins, farine) en mélangeant énergiquement au fouet.

Laisser bouillir encore 2 minutes.

14. Verser dans un récipient pour conservation.

Remarque. nous verrons par la suite que *cette sauce est d'un grand recours* en *cuisine minceur*. Comme les 3 grands fonds, elle peut se préparer d'avance et se conserver de la même façon (stérilisée ou congelée).

Faite à base de homard, le coût en est élevé ; pour en abaisser le prix de revient, on peut remplacer ce crustacé « royal » par du crabe, en particulier l'étrille, que l'on accompagne d'arêtes de soles, de têtes de langoustines et d'écrevisses, etc. Bien entendu cela n'est qu'un pis-aller et le résultat ne sera pas aussi succulent…

UNE SAUCE AU PARFUM DE TERRE ET D'HUMUS : LA SAUCE PÉRIGUEUX

Ingrédients de base pour 8 personnes

— 25 cl de porto
— 12 cl d'armagnac ou cognac
— 50 g de truffes hachées (en conserve)
— 6 cl de jus de truffe (provenant de la boîte)
— 50 cl de demi-glace (*voir recette p. 67*)
— 50 g de beurre frais (facultatif)
— Sel, poivre

Développement de la recette

1. Faire chauffer une casserole, y verser le porto et l'armagnac et réduire par ébullition, jusqu'à évaporation des 3/4 de leur volume.

2. Ajouter le jus de truffes, les truffes hachées et la demi-glace bien pure. Assaisonner de sel et poivre et laisser cuire à feu doux, à bouillonnements légers, pendant 15 minutes.

3. Facultatif : incorporer, juste avant de servir, le beurre frais en parcelles par un mouvement de rotation de la casserole, sur elle-même.

En cuisine minceur, on emploiera la même sauce sans la beurrer ou bien on la remplacera par la sauce aux champignons des bois (*voir recette p. 148*).

La sauce au vin rouge de Bordeaux se fait de la même manière en remplaçant :

— le porto et l'armagnac par leur volume correspondant de vin rouge de Bordeaux,

— le jus de truffes par une cuillère à soupe de tomate concentrée,

— et en ajoutant, au départ de la réduction, 2 échalotes hachées finement.

QUELQUES TRUCS POUR CORRIGER LES SAUCES

La sauce ou la préparation culinaire est parfumée mais paraît plate :

Lui ajouter l'élément incisif qui va la réveiller, en l'occurrence un filet de jus de citron, une goutte de vinaigre.

La sauce ou la préparation culinaire a pris de l'âcreté et même de l'amertume :

Lui ajouter une pincée de sucre ou un filet de vin liquoreux (porto) additionné au besoin d'un peu de crème fraîche.

La sauce ou la préparation culinaire manque de « charpente » et de couleur :

Lui ajouter un peu de glace de viande (ou glace de poisson suivant le mets), un tour de moulin à poivre et quelquefois une larme d'armagnac ou de cognac.

Se rappeler qu'il est parfois préférable, pour leur emploi dans les sauces, de faire réduire par ébullition, pour en diminuer le volume et volatiliser l'alcool :

— Le vin blanc, afin d'en éliminer l'acidité.

— Le vin rouge, pour rendre son parfum plus capiteux. Il en est de même pour les alcools. Par contre, les vins liquoreux, à l'arôme plus fugitif, gagnent souvent à être ajoutés au dernier moment.

Il faut se souvenir que :

— Dans les sauces à base de roux, le citron doit être ajouté après cuisson et liaison (blanquette, sauce ivoire, etc.), mis au départ, il détruirait cette liaison en la **détendant**.

— Dans les sauces émulsionnées, le citron active au contraire la coagulation du jaune d'œuf.

— L'acidité contenue dans la plupart des légumes (sauf épinards, choux, choux-fleurs) les empêche de cuire au lait, qu'elle ferait tourner et se coaguler.

Il est des Parfums frais comme des chairs d'enfants,
Doux comme des hautbois, Verts comme des Prairies
Et d'autres, Corrompus, Riches et Triomphants
Et chantant les transports de l'Esprit et des Sens...

Charles BAUDELAIRE
Les Fleurs du mal

CHAPITRE TROISIÈME

DES ÉPICES

Tenir en éveil le Goût et l'Odorat est le rôle
premier des Épices et Condiments, Fines
Herbes et Aromates. Le mariage de leurs
essences diverses est un arc-en-ciel de sensations, une symphonie aux mille nuances.
C'est la Caverne d'Ali Baba où le palais puise
aventureusement à l'infini...

Épices et condiments,
un parfum d'aventure

Épices et Condiments, Aromates et Fines Herbes, une grande famille racée, des titres de noblesse fleurant les quatre horizons ; messagers de céans ou messagers d'ailleurs ils prodiguent avec poésie à la cuisine parfums de terre ou de mer, de feu ou de fraîcheur, âcreté, acidité, amertume, sucre ou douceur.

CONDIMENTS SALINS

Le sel, gros ou fin, gemme ou marin, est l'unique condiment minéral. C'est le condiment symbole par excellence. Universel, il « assaisonne » presque toutes les préparations.

CONDIMENTS ACIDES

Citron, jus de citron, vinaigres de vins – vin rouge, xérès, champagne, alcool, etc. – *ou de fruits* – cidre, verjus, etc. Tous les légumes et fruits conservés aux vinaigres peuvent se ranger sous cette rubrique : cornichons, poivrons, câpres, griottes, etc.

CONDIMENTS SUCRÉS

Le sucre sous toutes ses formes et ses parents : miels, confitures, ou partenaires : vanille, cannelle, cacao, café. Utilisés le plus souvent en pâtisserie, mais quelquefois en cuisine : cuisson des petits pois ;

préparations en aigre-doux chères à l'Orient ; sauce gastrique ou caramel réduit avec du vinaigre (canard à l'orange) ; gelées de fruits rouges pour éveiller la saveur viscérale des gibiers.

La vanille, fille des Îles, mérite une mention particulière pour son parfum inégalé, sensuel et troublant.

CONDIMENTS COMPOSÉS

Mélange dosé de différentes épices qui donnent au condiment ainsi réalisé son goût propre.

— Curry, mariage réussi de piment jaune carré, coriandre, curcuma (ou safran des Indes), il entre dans les préparations dites à l'indienne : riz, poulet, agneau.

— Chile.

— Sauce de soja.

— Sauces anglaises : worcester, ketchup, piccadilly, etc.

CONDIMENTS AROMATIQUES DE VINS ET D'ALCOOLS

Les « réductions » de vins et d'alcools obtenues grâce à leur évaporation à chaud les transforment en véritables « extraits », accentuant et sublimant leurs saveurs et odeurs.

CONDIMENTS ÂCRES

Ail, ciboule et ciboulette, moutarde, raifort, radis, poireau, oignon, échalote...

L'ail haché peut se conserver dans l'huile d'olive.

Lorsque vous voulez en parfumer une viande à cuire rôtie, plutôt que de la piquer à « l'ail », flanquez-la de gousses non pelées que vous pouvez écraser après cuisson dans le jus de rôti, la nuance aillée en sera beaucoup plus subtile et moins préjudiciable à la digestion.

L'échalote hachée peut se conserver dans le vin blanc.

CONDIMENTS ÂCRES ET AROMATIQUES

Le poivre

Moulu, en grains, concassés, blanc ou gris – s'il a conservé son écorce – il entre dans presque toutes les préparations culinaires ; cependant, il est préférable de l'ajouter en fin de cuisson pour lui conserver tout son arôme.

Le poivre frais, ou « poivre vert », doux, étrange et subtil impose sa personnalité et rend son utilisation délicate et intéressante. Lyophilisé, il peut s'employer généreusement en tant que condiment – passé au moulin son emploi est le même que celui du poivre sec.

Le paprika

Poivre de piment appelé aussi « poivre rose ». Sert pour les préparations dites « à la hongroise » – goulach – ou à accentuer l'empourprement des crustacés cuits au four.

Le cayenne

Poivre de piment comme le paprika. En poudre, il remplace le poivre, ou l'épaule (sauce américaine par exemple) et particulièrement dans les sauces où le poivre ne doit laisser aucune trace de couleur visible : mayonnaise.

La muscade et le macis

La noix muscade, graine du muscadier, arbre des pays chauds, ou son enveloppe desséchée, le macis, ont un parfum corsé. La noix s'utilise râpée, le macis plutôt en poudre.

Je préfère ce dernier pour sa saveur intermédiaire entre muscade et cannelle. Employé en touches légères, il est le compagnon idéal des sauces blanches, farces à pâtés, marinades pour foie gras.

Le safran

Issu des pistils de la fleur de safran, il doit être d'une couleur orangé profond et sans filets blancs. Parfum à la fois sourd, puissant, rond et fruité.

Accompagne avec bonheur les bouillabaisses, riz, soupes de poissons, mais aussi tous les plats auxquels on veut apporter une note originale – poulet aux moules, etc.

Le clou de girofle

Fleur du giroflier au pouvoir antiseptique puissant.

Ne jamais en abuser. Piqué généralement dans un oignon pour parfumer certains fonds, blanquette, pot-au-feu, bouillon et marinades.

La coriandre

Accommode avec esprit les cuissons à l'huile ou « grecques ». J'aime à l'employer dans la *sauce vierge* qui accompagne le Bar aux algues (*voir recette p. 246*).

Le gingembre

Le gingembre d'Asie, gris ou blanc, s'utilise peu chez nous en cuisine salée ; on l'emploie davantage pour desserts et confitures.

La cannelle

Écorce fauve de Ceylan. Parfum pointu, fin, chaud et sucré qui, en complicité avec le sucre, « réchauffe » étonnamment certains entremets.

Fines herbes et aromates
ou le règne vert du jardin potager

Vert et sagement ordonné, secret mais bon enfant, j'aime l'idée du potager, ce jardin d'herbes, refuge favori des quatre saisons de notre table. Un rien sorcier, il est là qui saupoudre notre « ordinaire » de fraîcheur et d'humour.

Le persil

Le *persil frisé*, utilisé un peu trop souvent pour la décoration des mets, est surtout délicieux frit – compagnon des petites fritures de poissons, des rissoles.

Pour parfumer, je préfère *le persil simple et plat* au goût et à l'odeur plus fins et prenants.

Les deux peuvent être concassés ou hachés. Leurs tiges entrent dans la composition du *bouquet garni*.

Le cerfeuil

À l'arôme délicat et raffiné. Se hache dans les « fines herbes » ou se mange en « pluches » – feuilles – dans les potages et même en salade.

L'estragon

Au merveilleux parfum de « jardin de curé ». Se hache dans les « fines herbes » pour accompagner avec bonheur les salades. Employé pour les sauces américaine, béarnaise… Peut se conserver au vinaigre.

Le basilic ou « pistou »

Son odeur particulière et capiteuse doit le faire utiliser avec parcimonie, mais quel parfum de soleil musqué !

Entre dans la préparation traditionnelle et latine des soupes au « pistou » : provençale, minestrone italienne. Il peut convenir à maint autre apprêt : pâtes al pesto, Italie. Peut être broyé au mixer avec de l'huile d'olive – comme le persil avec de l'huile d'arachide – et conservé stérilisé ou simplement **réservé** au réfrigérateur.

Le romarin

C'est la « garrigue » et surtout une essence, presque un parfum. *Allié précieux en cuisine minceur* – infusions – employez-le avec modération en cuisine classique, rôti de porc, civets, marinades.

Ne pas en abuser. Éviter d'en « tapisser » les grillades, car il brûle le goût.

La marjolaine

Autrefois, plante vertueuse d'officine, *elle reste un délicat aromate plein de ressources odorantes en cuisine minceur.*

Les menthes

Menthe sauvage, menthe de jardin, menthe poivrée, leur parfum est d'une fraîcheur intense. Elles sont employées seules – desserts – ou mêlées en petites doses à d'autres herbes.

Très prisées dans les pays arabes, *leurs qualités en font « une infusion reine » intéressante aussi en cuisine minceur.*

La sauce menthe qui accompagne surtout l'agneau et le mouton est un classique de la cuisine anglaise.

Le thym et le serpolet

Un des trois ou quatre « compères » du bouquet garni. Posé sans abus sur les rôtis et particulièrement le lapin, il laisse au jus un arôme fin et agréable. Son parfum de « bordure de jardin » ou de « caillou chaud », quand il est sauvage et méridional, « farigoule », accommode très bien l'agneau et certains pâtés et farces.

Le laurier

Autre compère latin du bouquet garni. Très puissant, une demi-feuille suffit bien souvent, surtout lorsqu'il est frais. Attention, employé trop abondamment il est un poison cardiaque violent.

Le fenouil, aneth ou dill

Frais, leurs feuilles tendres et, *secs*, leurs tiges parfument allègrement les poissons grillés, bouillabaisses et autres soupes de poisson.

Le bulbe ventru du fenouil en est la partie comestible et se prépare à la manière du céleri ou à la grecque.

La sauge

Un parfum sourd d'automne parfois un peu amer. On l'ajoute quelquefois aux fèves fraîches, aux petits pois. On en pique les viandes de porc, on en enveloppe les petits oiseaux : grives, etc.

Les jeunes pousses peuvent se consommer en salade.

Le genièvre

Un parfum sobre, viril et sérieux pour la confection des marinades à gibiers ; ami de la choucroute, des grives et merles, il donne une eau-de-vie à l'âcreté célèbre.

Le bouquet garni

« Mascotte » bien française on le trouvera souvent utilisé dans mes recettes. Il se compose de : queues de persil, thym, laurier – ces deux derniers en quantités modérées. On peut y ajouter une petite branche de céleri ou d'autres herbes – basilic, estragon, cerfeuil, etc. – selon la fantaisie du moment.

Les herbes sont liées ensemble à l'aide d'une petite ficelle et assemblées en forme de fagot. Le bouquet garni se retire des préparations culinaires dans lesquelles il a séjourné.

Notes de l'auteur :

— Épices et condiments, fines herbes et aromates doivent tous se manier avec tact, mesure et précaution.

— Leur emploi outrancier entraîne un déséquilibre qu'il est difficile de rattraper.

— La chaleur exacerbe leur arôme.

— Leur présence doit rester assez discrète pour laisser la première place à la pièce qu'ils assaisonnent – viande, volaille, gibier, poisson, légumes – et la « révéler ».

— À la fois aromates, panacées rituelles des apothicaires et plantes d'officine, certaines herbes – tilleul, hysope, romarin, thym, marjolaine, menthe, etc. – peuvent jouer un rôle particulier dans l'aromatisation des mets. Je développerai *ce point propice à la cuisine minceur*, en fin de chapitre, *à la rubrique des infusions*.

— En pâtisserie, le cacao, le café, la vanille, la cannelle, les zestes d'oranges et de citrons sont des condiments aromatiques de base.

L'énoncé que j'ai fait dans ce chapitre n'est nullement exhaustif ; bien des pays, dont le nôtre, possèdent maintes autres ressources dans ce domaine.

Les marinades,
une alchimie venue d'un autre âge

Dans la cuisine ancienne, les marinades étaient tout d'abord un procédé astucieux pour conserver les viandes, les rassir et en relever hautement le goût.

Aujourd'hui, ces « bains épicés » continuent de servir à aromatiser les viandes de venaison et boucherie, en attendrissant leur chair, dans le premier cas (gibier à poil, sanglier, cerf, etc.) et en leur apportant un goût viril de venaison, dans le second cas (bœuf, mouton, etc.).

Au cours de cette imprégnation lente des parfums, la pièce à mariner doit être souvent retournée et tenue au frais.

La marinade est ensuite très souvent utilisée pour le mouillement et l'élaboration finale de la sauce d'accompagnement de l'aliment qui a été mis à mariner.

En voici une recette type.

DEUX MARINADES DE TRADITION

LA MARINADE CRUE

Composition

1 oignon		Thym, laurier	1/2 l de vin blanc
2 échalotes		Queues de persil	ou rouge
1/2 carotte	coupés en	1 gousse d'ail	10 cuillères à
1 longueur	fines lamelles	2 clous de girofle	soupe de vinaigre
de petit doigt		6 grains de poivre	6 cuillères à soupe
de céleri		6 grains	d'huile
		de coriandre	
		1 pointe de sel	

Faire un lit de la moitié des légumes et le disposer dans un récipient qui va contenir la pièce à mariner.

Placer dessus la viande puis la couvrir avec le restant de légumes.

Arroser du vin blanc ou rouge (selon la recette), du vinaigre, de l'assaisonnement et de l'huile.

LA MARINADE CUITE

La marinade cuite accélère encore le processus d'attendrissement de la viande. Elle se prépare avec les mêmes ingrédients que la marinade crue. Mais il faut faire auparavant « suer » les légumes dans l'huile (oignons, échalotes, carotte, céleri) ; y ajouter le vin, le vinaigre, les aromates et faire cuire à faibles bouillons pendant 1/2 heure. Puis, laisser refroidir avant d'y mettre la pièce de viande à mariner.

DEUX MARINADES ORIGINALES

Crus à la méthode tahitienne, les poissons macèrent dans un peu de jus de citron et de poivre, ce qui a pour effet de les cuire en partie.

Avant d'être grillés, ils peuvent macérer dans une marinade courte, faite à base d'huile, de tranches fines de citron pelé à vif, de thym, de laurier, de fenouil, de queues de persil, de basilic, d'oignons en fines lamelles, d'échalote hachée, de sel, de poivre, de safran, etc.

La méthode nordique de marinade à poisson n'est pas moins intéressante qui consiste à fourrer de dill deux filets de poisson désarêté (saumon par exemple), enfouis sous un mélange de sel, sucre, poivre gris, et tenus sous presse pendant 24 heures.

En voici les ingrédients exacts :
— 225 g de gros sel
— 300 g de sucre cristallisé
— 1 botte de dill
— 25 g de poivre gris concassé.

LES MARINADES EN CUISINE MINCEUR

Parce qu'elles ne font pas ou peu appel à la présence de corps gras, les marinades trouvent leur expression réelle en cuisine minceur où elles sont de précieuses alliées.

Leur présence et leur caractère, émollients et épicés, permettent de pallier presque parfaitement, dans l'élaboration de cette cuisine légère, certaine absence sensible en corps riches.

Je développe, plus loin, ce thème en détail dans mes recettes de cuisine minceur.

Pour leur emploi, en cuisine minceur :

Si la marinade contient un peu d'huile, essuyer soigneusement la pièce sur un linge avant cuisson ; on peut éventuellement, *dans la marinade à froid*, employer, à très petite dose, de l'huile de paraffine dans la confection du bain épicé.

Si la marinade doit servir de base à la sauce d'accompagnement, dégraisser, puis, par réduction en chauffant, laisser évaporer liquides et éthers pour n'en conserver que l'arôme.

Une marinade résolument minceur, l'infusion

Le vin peut astucieusement être remplacé dans le « bain aromatisé » servant de base à la marinade, par une infusion d'eau ayant préalablement bouilli avec des aromates : romarin, thym, marjolaine, pistou, etc.

De même, une infusion d'eau aromatisée peut être utilisée pour cuire de sa vapeur parfumée certaines viandes blanches.

CHAPITRE QUATRIÈME

DES RECETTES MINCEUR

LES SOUPES

Bouillon de légumes d'Eugénie

MARCHÉ POUR 4 PERSONNES

Ingrédients principaux
50 g de carottes
50 g de champignons de Paris
25 g de blanc de poireau
25 g de céleri branche (ou rave)
1 cuillère à café de persil
1 cuillère à café de cerfeuil
80 g de tomate fraîche concassée (*voir recette p. 330*).
1 pointe d'estragon
1 litre 1/4 de fond de volaille (*voir recette p. 68*) ou bouillon en
   tablettes

Ustensiles de préparation et de présentation
1 mouli-julienne
1 casserole et son couvercle
4 petites soupières individuelles en porcelaine blanche

1. Couper les légumes, carottes, champignons, blanc de poireau, céleri en bâtonnets (**julienne** de légumes) de 2 mm de section et de 4 cm de longueur.
Pour les carottes et le céleri-rave, il est plus facile et plus rapide d'employer le moulin à légumes mouli-julienne, pourvu de la grille adaptée à ce tranchage.
Les champignons, à la chair plus élastique, se coupent au couteau à main.

2. Porter à ébullition le fond ou bouillon de volaille (*voir recette p. 68*), saler, poivrer.

3. Plonger les légumes taillés et laisser cuire à couvert, couvercle entrebâillé, 15 minutes.

Les légumes doivent rester entiers et conserver une certaine fermeté sous la dent.

4. Ajouter la tomate fraîche concassée.

5. Servir dans les quatre petites soupières, saupoudrer du persil, cerfeuil et estragon hachés frais.

6. Servir chaud ou glacé.

Note de l'auteur :

C'est le dosage harmonieux des légumes qui apporte à ce bouillon toute la fraîcheur parfumée d'un « jardin potager ».

Soupe de tomates fraîches au pistou

MARCHÉ POUR 4 PERSONNES

Ingrédients principaux

300 g de tomates entières
1 cuillère à soupe de concentré de tomate
1 carotte de taille moyenne
1/2 poireau
1 échalote
1 gousse d'ail
1 litre 1/4 de fond de volaille (*voir recette p. 68*) ou d'eau
1 branche de thym
1/2 feuille de laurier
6 g de sel, 1 pointe de poivre
1 cuillère à café d'huile d'olive

Ingrédients de liaison

2 cuillères à café de pistou (basilic) broyé en pâte avec
1 cuillère à café d'huile minceur

Ustensiles de préparation et de présentation

1 casserole à fond épais
1 chinois-étamine
4 petites soupières individuelles en porcelaine blanche

1. Choisir les tomates bien mûres, supprimer leurs pédoncules à l'aide d'un couteau d'office.

2. Faire bouillir de l'eau et les y plonger 15 secondes.

3. Les égoutter et mettre à rafraîchir dans de l'eau glacée. Cette opération permet de les peler sans difficulté.

4. Couper chaque tomate en deux et les presser doucement dans le creux de la main pour en faire sortir l'eau et les pépins.

5. Peler et hacher grossièrement carotte, poireau, échalote, ail.

6. Les faire revenir dans la casserole, préalablement chauffée, et enduite de l'huile d'olive ; ajouter la branche de thym et la demi-feuille de laurier.

Recouvrir des tomates fraîches et du concentré de tomate.

Mouiller avec le fond de volaille ou l'eau.

7. Cuire à feu moyen à découvert pendant 20 minutes.

8. Retirer thym et laurier, verser la préparation dans le mixer, broyer et remettre le mélange obtenu à chauffer dans la casserole après l'avoir passé au chinois-étamine.

9. Servir dans les soupières individuelles en ajoutant au dernier moment dans la casserole les ingrédients de liaison, pistou broyé et délayé en pâte avec l'huile minceur.

10. Savoureuse chaude, cette soupe est particulièrement agréable l'été servie glacée.

Dans ce dernier cas, ne pas remettre à chauffer après broyage au mixer.

Réserver simplement la préparation au réfrigérateur après le passage au chinois. N'ajouter le pistou qu'au moment de servir et décorer d'un petit brin de pistou frais entier.

Crème d'oseille mousseuse

MARCHÉ POUR 4 PERSONNES

Ingrédients principaux
120 g d'oseille fraîche
2 gousses d'ail
1 litre de fond de volaille (*voir recette p. 68*) ou bouillon en tablettes
2 cuillères à café d'huile d'olive
8 g de sel, poivre

Ingrédients de liaison
2 œufs entiers

Ustensiles de préparation et de présentation
1 casserole
1 ustensile creux genre saladier pour monter les œufs
1 fouet
1 mixer
4 petites soupières individuelles en porcelaine blanche

1. Faire chauffer l'huile d'olive dans la casserole.

2. Y faire revenir et légèrement colorer les deux gousses d'ail pelées et écrasées grossièrement avec le plat de la lame d'un couteau. Ajouter l'oseille préalablement hachée, sel, poivre et mélanger.

3. Mouiller avec le litre de fond ou bouillon de volaille et cuire 15 minutes.

4. Verser la préparation dans le mixer et broyer 2 minutes pour obtenir un liquide onctueux.

5. Remettre dans la casserole et tenir au chaud presque à frémissement.

6. Au moment de servir, fouetter ensemble, dans un saladier, les 2 œufs entiers pour leur donner du volume, puis les incorporer très rapidement à la soupe chaude (mais non bouillante) en continuant de fouetter.

Les œufs alvéolés d'air par le fouet se coagulent au contact de la chaleur et apportent à la soupe onctuosité, épanouissement et légèreté.

Soupe de grenouilles

MARCHÉ POUR 4 PERSONNES

Ingrédients principaux
24 petites grenouilles
80 cl de fumet de poisson (*voir recette p. 69*)
10 cl de vin blanc sec
1 botte de cresson
1 échalote hachée
1 pointe d'estragon
8 g sel, poivre

Ingrédients de liaison
1 cuillère à soupe de fromage blanc 0 %
1 cuillère à soupe de crème fraîche

Ustensiles de préparation et de présentation
2 casseroles
1 mixer
1 petit fouet
4 petites soupières individuelles en porcelaine blanche

1. Dans la première casserole, faire bouillir le fumet de poisson.
2. Y plonger les grenouilles jusqu'à reprise de l'ébullition. Les ressortir aussitôt. Les **réserver** dans une assiette.
3. Dans la deuxième casserole verser le vin blanc, l'échalote hachée, l'estragon, sel et poivre.
Faire bouillir et réduire à découvert jusqu'à quasi-évaporation du vin blanc (afin d'éliminer l'alcool et de n'en conserver que l'arôme).
4. Ajouter le fumet de poisson dans lequel on a poché les grenouilles, le cresson équeuté et lavé. Laisser cuire le tout

7 minutes. Ce temps de cuisson limité laisse au cresson sa couleur vert tendre.

5. Broyer cette préparation au mixer.

Réserver au chaud.

6. Pendant ce temps, désosser à la main les cuisses de grenouilles pour en récupérer toute la chair.

7. Fouetter légèrement ensemble la crème et le fromage blanc. L'incorporer à la soupe. Vérifier l'assaisonnement et ne plus faire bouillir.

8. Répartir les grenouilles dans les bols et recouvrir de la soupe très chaude.

Décorer chaque soupière de quelques feuilles de cresson frais semées telles des feuilles de nénuphar.

Soupe à la grive de vigne

MARCHÉ POUR 4 PERSONNES

Ingrédients principaux
4 grives

Ingrédients du bouillon de grives
1 carotte ⎫
1 oignon ⎭ épluchés et coupés grossièrement
1 bouquet garni
1 cuillère à café d'huile d'olive
4 baies de genièvre
2 litres d'eau froide

Ingrédients de finition du bouillon de grives
1 cuillère à café de jus de truffes ⎫
2 cuillères à soupe de sauce ⎬ facultatif
Périgueux (*voir recette p. 86*) ⎭

Ingrédients de garniture
20 g de mousserons secs ⎫
60 g de carotte ⎪
60 g d'oignon ⎬ épluchés et taillés en fine mirepoix :
60 g de champignons de Paris ⎪ petits dés de 2 mm de côté
10 g de céleri branche ⎭
1 cuillère à café d'huile d'olive
1 cuillère à café de cerfeuil haché
Sel, poivre, 1 pointe de fleur de thym

Ustensiles de préparation et de présentation
2 casseroles dont 1 à fond épais
1 spatule en bois
1 passoire étamine
4 petites soupières individuelles en porcelaine blanche
4 ronds de papier aluminium, diamètre 15 cm

1. Plumer et vider les 4 grives, conserver les foies, découper les 8 ailes – les blancs de grives en quelques sorte –, les réserver sur une assiette.

Hacher grossièrement au couteau les restes des grives : cuisses, carcasses et foies.

2. Dans la casserole chauffée et préalablement enduite de l'huile d'olive, faire revenir le hachis de grives et tous les ingrédients du bouillon.

Laisser cuire 5 minutes en tournant avec la spatule en bois, puis mouiller de 2 litres d'eau froide.

3. Amener à ébullition, écumer soigneusement puis régler le feu de manière à maintenir ce bouillon à frémissement et sans ébullition jusqu'à réduction de la moitié de son volume (1 h 15 environ).

4. Pendant ce temps laver et mettre à tremper les mousserons secs à l'eau froide.

Les égoutter dès qu'ils sont réhydratés et les **réserver.**

5. Dans la casserole à fond épais, chauffée et préalablement enduite de la seconde cuillère à café d'huile d'olive, faire sauter les ingrédients de garniture (**mirepoix**) que l'on cuit de 3 minutes en 3 minutes dans l'ordre suivant : dés de carotte dés de céleri et d'oignon, dés de champignon de Paris (les carottes cuiront donc 9 minutes, le céleri et l'oignon 6 minutes et les champignons de Paris 3 minutes seulement). Assaisonner et saupoudrer de fleur de thym.

Ajouter le jus de truffes et la sauce périgueux (facultatif), porter à ébullition et retirer du feu.

6. Passer à la passoire étamine le bouillon de grives et le verser sur la préparation précédente. Remettre à chauffer, ajouter les mousserons **réservés** et cuire l'ensemble 5 minutes à feu moyen. Vérifier l'assaisonnement.

7. Juste avant de servir, pocher les ailes de grives 1 minute et demie dans ce bouillon. Présenter chaque soupière garnie d'une aile, emplie du bouillon décoré de cerfeuil et coiffée du rond de papier d'aluminium (ficelé comme un pot de confiture).

Velouté aux champignons des bois

MARCHÉ POUR 4 PERSONNES

Ingrédients principaux
50 g de morilles sèches
50 g de mousserons secs
80 g de cèpes secs
100 g de champignons de Paris frais
1 litre de fond de volaille (*voir recette p. 68*) ou bouillon en tablettes

Ingrédients de départ
1 cuillère à café d'huile d'olive
50 g d'oignon (coupé en fines lamelles)
50 g de poireau émincé
1 gousse d'ail coupée en 2
2 tomates pelées et épépinées

Ingrédients de décoration
1 cuillère à café de persil haché frais
1 cuillère à soupe de tomate fraîche concassée en petits dés
  (*voir recette p. 330*)
40 g de mousserons secs

Ustensiles de préparation et de présentation
1 casserole à fond épais et son couvercle
4 petites soupières individuelles en porcelaine blanche

1. Après les avoir lavés soigneusement plusieurs fois en renouvelant l'eau, faire tremper les champignons secs (ingrédients principaux) à l'eau tiède pendant 1 heure.

2. Les égoutter et les étaler sur un linge sec.

3. Chauffer l'huile d'olive dans la casserole. Y faire revenir les ingrédients de départ : oignon, poireau, ail, puis les ingrédients principaux : champignons secs égouttés, champignons de Paris lavés et, enfin, les deux tomates qui apportent au potage une note de douceur et de fraîcheur.

4. Laisser cuire, 5 minutes, en remuant à la cuillère.

5. Ajouter le fond ou bouillon de volaille et assaisonner.

6. Recouvrir la casserole en laissant le couvercle entrebâillé et cuire à feu moyen 30 minutes.

7. Après cuisson, verser le contenu de la casserole au mixer et broyer très fin. **Réserver** au chaud.

8. Pour la présentation, pocher les 40 g de mousserons des ingrédients de décoration dans un peu de bouillon de volaille. Remplir les 4 petites soupières de velouté, y déposer les mousserons égouttés et saupoudrer de persil haché frais et de la tomate concassée en dés.

Soupe de truffes
*Version minceur de la célèbre
soupe de truffes de* Paul BOCUSE

MARCHÉ POUR 2 PERSONNES

Ingrédients principaux de la mirepoix de légumes

2 truffes (fraîches ou de conserve), de 25 g chacune, coupées en
    lamelles de 2 mm d'épaisseur
50 g de blanc de poulet cru
60 g de ris de veau cru
40 g de carotte   ⎫
40 g de champignons de Paris ⎬ épluchés
15 g de céleri branche   ⎭
1/2 cuillère à café d'huile d'olive
Fleur de thym

Ingrédients du fond de cuisson

24 cl de fond de volaille (*voir recette p. 68*) ou bouillon de volaille en
    tablettes
1 cuillère à café de jus de truffe
1 cuillère à soupe de sauce Périgueux (*voir recette p. 86*) (facultatif)
Sel, poivre

Ustensiles de préparation et de présentation

2 petites soupières individuelles en porcelaine blanche
1 petite casserole
2 ronds de papier aluminium, diamètre 15 cm

1. *Préparation de la* **mirepoix** *de légumes :*
Tailler en petits dés de 2 mm de côté 40 g de carotte, 40 g
de champignons de Paris et 15 g de céleri branche.
Dans la casserole chauffée et tout juste enduite de la 1/2 cuillère
à café d'huile d'olive, faire suer à couvert – cuire pour en
extraire l'eau de végétation –, dans l'ordre et successivement de

3 minutes en 3 minutes, les dés de carotte, les dés de céleri, puis les dés de champignon de Paris. Les carottes cuiront donc 9 minutes, le céleri 6 minutes et les champignons 3 minutes. Saler, poivrer, saupoudrer de fleur de thym.

2. Braisage du ris de veau (*voir recette du ragoût fin d'Eugénie p. 280*). Le blanc de poulet peut cuire dans le même fond de braisage, pendant le même temps que le ris de veau.

Pour gagner du temps on peut aussi, plus simplement, pocher l'un et l'autre, 10 minutes dans un bon bouillon de volaille et les détailler ensuite en dés de 1/2 cm de côté.

3. Garnir chaque soupière de 1 cuillère à soupe de la **mirepoix** de légumes, 1/2 cuillère à café de sauce Périgueux (facultatif), 1/2 cuillère à café de jus de truffe, ajouter les dés de ris de veau et de blanc de poulet et les lamelles de truffe. Recouvrir du fond de volaille.

4. Chapeauter la soupière d'un rond de papier aluminium, ficelé comme vous le feriez pour un pot de confiture.

Cuire à four chaud 10 minutes (240 °C, thermostat 8/9). Laisser à votre convive le soin d'enlever lui-même ce chapeau de papier et de découvrir ainsi les effluves émanant du potage.

LES SAUCES

Huile minceur

Ingrédients de base
50 ml d'huile d'olive
50 ml d'huile de pépins de raisin (ou colza)
400 ml d'eau
9 g de poudre de bouillon de volaille
8 g de Maïzena

1. Faire bouillir l'eau avec la poudre de bouillon de volaille.
2. À l'aide d'un fouet, ajouter la Maïzena détendue dans un petit peu d'eau froide.
3. Refroidir dans un récipient posé sur de la glace.
4. Émulsionner avec les huiles à l'aide d'un mixer.
5. Conserver dans une bouteille au réfrigérateur.

UTILISATION : Salade pleine mer (*p. 198*)

Vinaigrette minceur
Sauce froide

MARCHÉ POUR 4 PERSONNES

Ingrédients de base
1/2 l d'eau
11 g de poudre de volaille
10 g de Maïzena
1 trait de vinaigre de Xérès
140 g de jus de citron
80 g d'huile d'olive
120 g d'huile de pépins de raisin
60 g de moutarde
1/2 cuillère à café de colorant jaune (facultatif)

1. Faire bouillir l'eau avec la poudre de bouillon de volaille.
2. À l'aide d'un petit fouet, ajouter la fécule préalablement détendue dans un peu d'eau froide.
3. Refroidir dans un récipient posé sur de la glace et ajouter quelques gouttes de colorant jaune.
4. Faire fondre le sel et le poivre dans le jus de citron, ajouter les huiles, le trait de vinaigre, le bouillon et la moutarde.
5. Garder au frais dans des bouteilles bien fermées.

UTILISATION : Salade d'écrevisses de rivière (p. 206)
Salade de truffes au persil (p. 196)

Sauce mayonnaise
Sauce froide

MARCHÉ POUR 6 À 8 PERSONNES

Ingrédients principaux
1 œuf
1 cuillère à café de moutarde de Dijon
1 cuillère à café de jus de citron
5 cuillères à soupe d'huile de pépins de raisin
2 cuillères à soupe de fromage blanc 0 %

Ustensiles de préparation
1 petit saladier
1 fouet

Cette sauce est faite selon la méthode traditionnelle (*voir recette p. 77*) en n'utilisant que le jaune d'œuf. On ajoute le fromage blanc 0 % à la fin.
Le blanc d'œuf restant peut être battu en neige et incorporé également à la fin, en mélangeant et en soulevant délicatement l'ensemble, à l'aide d'une spatule en bois.
On peut également réaliser cette sauce au mixer en procédant de la même façon.

UTILISATION : Artichauts Mélanie (*p. 162*)
Salade de cervelles d'agneau (*p. 210*)

Note de l'auteur pour une variante originale :
2 cuillères à soupe rases d'huile d'arachide
1 cuillère à soupe rase de purée d'oignons (*voir recette p. 325*)
1/2 cuillère à soupe de mousse de carottes (*voir recette p. 321*)
monter le blanc d'œuf en neige en l'incorporant à l'ensemble avec délicatesse.

126

Sauce aigre-douce à l'oignon
Sauce froide

MARCHÉ POUR 5 PERSONNES

Ingrédients de base

2 œufs entiers
2 cuillères à soupe de purée mousse d'oignons (*voir recette p. 325*)
1 cuillère à soupe de fromage blanc 0 %
2 cuillères à soupe d'huile minceur (*voir recette p. 124*)
1 cuillère à soupe de ketchup
1 cuillère à café de moutarde de Dijon

UTILISATION : Salade de cerfeuil à l'aile de pigeon (*p. 212*)

Sauce orange
Sauce froide

MARCHÉ POUR 5 PERSONNES

Ingrédients de base

1 cuillère à soupe de mousse de carottes (*voir recette p. 321*)
1 cuillère à soupe de jus d'orange
2 cuillères à soupe de fromage blanc 0 %
1 cuillère à soupe de vinaigre de vin
2 cuillères à soupe d'huile minceur (*voir recette p. 124*)
1 cuillère à café de moutarde de Dijon
1 cuillère à café d'herbes fraîchement hachées (cerfeuil, estragon, persil...)

UTILISATION : Salade de cervelles d'agneau (*p. 210*)

Sauce rose
Sauce froide

MARCHÉ POUR 5 PERSONNES

Ingrédients de base
2 jaunes d'œufs
2 cuillères à soupe de sauce ketchup
1 cuillère à café de moutarde de Dijon
2 cuillères à soupe d'huile minceur (*voir recette p. 124*)
4 cuillères à soupe de fromage blanc 0 %
Sel, poivre

UTILISATION : Salade d'écrevisses de rivière (*p. 206*)
                       Salade à la geisha (*p. 192*)

Sauce créosat
Sauce froide

MARCHÉ POUR 5 PERSONNES

Ingrédients principaux
50 g de concombre
25 g de poivron vert
75 g d'oignons
20 g de tomate fraîche
10 g de cornichon
10 g de câpres

Ingrédients d'assaisonnement
1/2 cuillère à café de sauce anglaise (*Worcester sauce*, à acheter en
  épicerie fine)
1/2 cuillère à café de moutarde
3 cuillères à soupe de vinaigre de vin
1 cuillère à café d'huile d'olive
1 gousse d'ail pelée entière
1 branche de thym
1/2 feuille de laurier
Sel, poivre

Ustensiles de préparation
1 petit saladier
1 fourchette
1 bol

1. Tailler les légumes : concombre, poivron, oignons, tomate
fraîche, cornichon, en petit dés de 1/2 cm de côté (**mirepoix**).
2. Les mélanger à la fourchette dans le saladier.
3. Dans un bol, délayer et préparer en vinaigrette tous les
ingrédients d'assaisonnement.

4. Verser ce mélange dans le saladier de légumes et bien faire pénétrer en remuant à la fourchette.

5. Rentrer au réfrigérateur et laisser macérer au moins 3 jours.

Utiliser à la demande.

UTILISATION : Toutes les grillades de bœuf (*p. 256-257*)

Sauce préférée
Sauce froide

MARCHÉ POUR 5 PERSONNES

Ingrédients de base
5 cuillères à soupe de fromage blanc 0 %
2 cuillères à soupe de vinaigre de vin
1 cuillère à soupe de sauce soja
1 cuillère à café de moutarde de Dijon
1 cuillère à café d'herbes fraîchement hachées (cerfeuil, estragon, persil...)
Sel, poivre

UTILISATION : Salade des prés à la ciboulette (*p. 194*)

Sauce grelette
Sauce froide

MARCHÉ POUR 10 PERSONNES

Ingrédients principaux
600 g de tomates entières
1/2 cuillère à café d'estragon haché
1 cuillère à café de persil haché
1 cuillère à soupe de sauce ketchup
1 jus de citron
6 cuillères à soupe de fromage blanc 0 %
1 cuillère à soupe de crème fraîche
8 g de sel, 2 g de poivre blanc
2 cuillères à café d'armagnac (facultatif)

Ustensiles de préparation
1 casserole
1 saladier
1 petit fouet

1. Supprimer le pédoncule des tomates et, pour les peler plus facilement, les plonger dans l'eau bouillante quelques secondes, selon leur maturité.
Les rafraîchir à l'eau glacée, les peler, les couper en deux et les presser doucement dans le creux de la main pour en extraire eau de végétation et pépins.
Puis les couper en petits dés (*voir p. 330*).
2. Dans le saladier fouetter le fromage blanc 0 % avec la crème.
Ajouter les herbes hachées, ketchup, jus de citron, armagnac (facultatif), puis les tomates concassées. Sel et poivre.
3. Réserver au réfrigérateur ou sur de la glace pilée, jusqu'au moment de son utilisation.

UTILISATION : « Hure » de saumon au citron et poivre vert (*p. 177*)
Terrine de poissons aux herbes fraîches (*p. 180*)

Nage ou court-bouillon
Servir chaude ou froide

MARCHÉ POUR 4 PERSONNES

Ingrédients principaux
1/2 litre de vin blanc sec
1 litre d'eau
35 g de gros sel
2 carottes moyennes
1 blanc de poireau
30 g de blanc de céleri branche
60 g de petits oignons dits « grelots »
2 échalotes
2 gousses d'ail non épluchées
5 zestes de citron
25 grains de poivre vert
1 clou de girofle
6 queues de persil
1/2 feuille de laurier
1 petite branche de fenouil frais ⎫ bouquet garni (*voir p. 99*)
1 branche de thym ⎭

Ustensile de préparation
1 grande casserole inoxydable

1. Éplucher et laver tous les légumes.

2. Canneler les carottes à l'aide d'un couteau canneleur (facultatif).

3. Tailler tous les légumes – carottes, blanc de poireau, céleri, petits oignons, échalotes – en fines rondelles de 2 mm d'épaisseur.

4. Dans la casserole, les faire suer à sec – rendre l'eau de végétation – pendant 10 minutes à couvert.

5. Ajouter le vin blanc, l'eau, le sel et les ingrédients d'assaisonnement : zestes de citron, gousses d'ail non épluchées, grains de poivre vert, clou de girofle et bouquet garni.

6. Laisser cuire lentement pendant 40 minutes.

Les légumes doivent rester légèrement fermes.

UTILISATION : Homard, langouste ou écrevisses à la nage (*p. 220*)
Homard à la tomate fraîche et au pistou (*p. 222*)
Le grand pot-au-feu de la mer (*p. 252*)
Homard rôti au four (*p. 226*)

Sauce « homardière » froide

MARCHÉ POUR 4 PERSONNES

Ingrédients principaux
4 cuillères à soupe d'huile minceur (*voir recette p. 124*)
2 cuillères à soupe de fromage blanc 0 %
1 jaune d'œuf
1/2 cuillère à café de moutarde
1 filet de jus de citron
Sel, poivre

Ingrédients garniture
1/2 cuillère à café de cerfeuil haché
1/2 cuillère à café d'estragon frais
1 cuillère à soupe de légumes de nage hachés (*voir recette p. 134*)
4 cuillères à soupe de sauce américaine (*voir recette p. 84*)

Ustensiles de préparation
1 petite casserole
1 saladier
1 petit fouet

1. Dans la petite casserole faire bouillir et réduire de moitié, à feu doux, la sauce américaine, en la remuant souvent.
La **réserver** au frais.
2. « Monter » la mayonnaise (*voir recette p. 126*) avec les ingrédients principaux, en incorporant le fromage blanc 0 % en dernier.
3. Ajouter, pour finir, la sauce américaine refroidie, le hachis de légumes de nage, le cerfeuil et l'estragon.
Vérifier l'assaisonnement.

UTILISATION : Salade de homard au caviar (*p. 208*)
Salade de crabe au pamplemousse (*p. 204*)
Salade d'écrevisses de rivière (*p. 206*)

Sauce vierge
Sauce chaude

MARCHÉ POUR 6 À 8 PERSONNES

Ingrédients principaux
4 tomates fraîches entières
2 cuillères à soupe de jus de citron jaune
3 cuillères à soupe de vinaigrette minceur (recette page 125)
2 cuillères à soupe d'échalote hachée finement
1 cuillère à soupe de basilic vert ciselé
1 cuillère à soupe de basilic pourpre ciselé
Sel et poivre

Ustensile de préparation
1 petite casserole

1. Supprimer le pédoncule des tomates et, pour les peler plus facilement, les plonger dans l'eau bouillante quelques secondes, selon leur maturité.

Les rafraîchir à l'eau glacée, les couper en deux et les presser doucement dans le creux de la main pour en extraire eau de végétation et pépins.

Puis les couper en petits dés.

2. Mettre à tiédir au bain-marie la vinaigrette minceur.

Émulsionner avec l'huile d'olive à l'aide d'un mixer.

Rajouter le jus de citron, l'échalote hachée, les dés de tomate et juste à la fin le basilic ciselé.

Assaisonner de sel et de poivre.

UTILISATION : Bar aux algues (*p. 246*)

Sauce béarnaise d'Eugénie
Sauce chaude

MARCHÉ POUR 6 PERSONNES

Ingrédients principaux
4 jaunes d'œufs
1 boîte de 200 g de lait concentré (réservé au froid)
Sel

Ingrédients de la réduction
100 g d'échalotes hachées
15 cl de vinaigre d'alcool blanc
1 cuillère à café de poivre mignonnette
1 cuillère à soupe d'estragon haché

Ingrédients de la finition
1 cuillère à soupe de persil haché
1 cuillère à café d'estragon haché

Ustensiles de préparation
1 petite casserole inoxydable
1 petit fouet
1 récipient creux

1. Dans la première casserole, réunir l'échalote hachée, le vinaigre, le poivre mignonnette et l'estragon. Faire réduire à l'état de marmelade humide. Laisser tiédir.

2. Mettre le lait concentré dans un récipient creux et le fouetter à la main de façon à obtenir la texture d'une crème fouettée. Réserver au frais.

3. Dans la casserole de la réduction d'échalote froide, ajouter une cuillère à soupe d'eau froide et les jaunes d'œufs puis remettre sur feu doux en fouettant. Amener progressivement la température de la réduction et des jaunes à 65 °C. Le mélange épaissit alors et devient crémeux.

4. Incorporer petit à petit le lait concentré en continuant de fouetter sur le coin du feu. Ajouter les herbes hachées. Rectifier l'assaisonnement.

Garder au chaud sur le coin du fourneau avant utilisation.

UTILISATION : Pot-au-feu de viande en fondue (*p. 260*)
                Toutes les grillades de bœuf, volailles, poissons.

Sauce beurre blanc
Sauce chaude

MARCHÉ POUR 4 PERSONNES

Ingrédients principaux
2 cuillères à soupe d'échalote hachée
10 cl de vin blanc
50 g de beurre
100 g de fromage blanc 0 %
3 cl de lait
Sel et poivre

Ustensiles de préparation
1 petite casserole à fond épais
1 petit fouet

1. Mettre à feu moyen la casserole contenant le vin blanc et l'échalote hachée.
2. Faire réduire ce mélange des 2/3 de son volume.
3. Puis mettre à plein feu et amener la réduction à gros bouillons. Poser les 50 g de beurre, tout juste sortis du réfrigérateur, au cœur du liquide.
Celui-ci fond progressivement et se trouve emporté dans le tourbillon du liquide qui s'épaissit peu à peu.
4. Retirer du feu, laisser tiédir et incorporer en fouettant le fromage blanc 0 % et détendre avec le lait.
Vérifier l'assaisonnement et garder au tiède.

UTILISATION : Terrine de loup chaude aux pointes d'asperges (*p. 183*)

Sauce coulis d'asperges
Sauce chaude

MARCHÉ POUR 4 PERSONNES

Ingrédients principaux

350 g d'asperges fraîches, ou
180 g d'asperges de conserve
12 cl de fond de volaille (*voir recette p. 68*) ou bouillon de volaille en
   tablettes
4 g de sel
1 pointe de poivre
1 cuillère à café de crème fraîche (facultatif)

Ustensile de préparation

1 mixer

1. Si l'on emploie des asperges fraîches, les préparer et les
cuire selon la *recette p. 60*.
2. Tronçonner les asperges et les broyer au mixer avec le
fond de volaille, le sel, le poivre et la crème fraîche (facultatif). Vérifier l'assaisonnement et tenir au chaud au bain-
marie jusqu'à l'emploi.

UTILISATION : Gâteau moelleux d'asperges (*p. 170*)
               Mousseline de grenouilles au cresson de fontaine (*p. 188*)
               Tourte aux oignons doux (*p. 172*)
               Gâteau de carottes fondantes au cerfeuil (*p. 168*)

Sauce coulis de tomates fraîches
Sauce chaude ou froide

MARCHÉ POUR 4 PERSONNES

Ingrédients principaux

300 g de tomates fraîches
1 cuillère à café de concentré de tomate
1 échalote hachée
1 gousse d'ail
1 petit bouquet garni (*voir p. 99*)
1 cuillère à café d'huile d'olive
18 cl de fond de volaille (*voir recette p. 68*) ou bouillon de volaille en tablettes
Sel, poivre

Ustensiles de préparation

1 casserole à fond épais
1 écumoire à pieds
1 mixer

1. Supprimer le pédoncule des tomates à l'aide d'un petit couteau.

2. Plonger celles-ci, quelques secondes, dans la casserole d'eau bouillante, les retirer et les mettre à rafraîchir dans de l'eau glacée, puis les égoutter. Cette première opération permet ensuite de les peler très facilement. Les couper en deux, et presser doucement chaque moitié dans le creux de la main pour en éliminer les pépins et l'eau de végétation.

3. Faire chauffer l'huile d'olive dans la casserole, y faire cuire doucement, sans colorer, la gousse d'ail, non pelée, écrasée et l'échalote hachée.

Ajouter les tomates fraîches, le concentré de tomate, le bouquet garni et le bouillon de volaille.
Cuire à feu moyen pendant 20 minutes.
4. Au terme de la cuisson enlever le bouquet garni et broyer au mixer.
Vérifier l'assaisonnement.
Si ce coulis est trop clair le remettre dans la casserole sur le feu pour le faire réduire à nouveau.

UTILISATION Mousseline de grenouilles au cresson de fontaine (*p. 188*)
Tourte aux oignons doux (*p. 172*)
Gâteau de foies blonds de volaille (*p. 186*)
Gâteau de carottes fondantes au cerfeuil (*p. 168*)
Côte de veau « grillée en salade » (*p. 264*)
Oignons Tante Louise (*p. 328*)
Pot-au-feu de viande en fondue (*p. 260*)

Sauce coulis d'artichauts
Sauce chaude

MARCHÉ POUR 5 PERSONNES

Ingrédients principaux
3 artichauts de 250 g chacun environ
2 litres d'eau
30 g de gros sel
1 citron pressé
1 cuillère à café de crème fraîche
12 cl de fond de volaille (*voir recette p. 68*) ou bouillon de volaille en tablettes

Ustensiles de préparation
1 casserole inoxydable de grande taille et son couvercle
1 mixer

1. Laver et équeuter les artichauts.
Les mettre à cuire 45 minutes à couvert dans les 2 litres d'eau bouillante salée et citronnée.
2. Au terme de cette cuisson les refroidir à l'eau fraîche, les dépouiller de leurs feuilles, les débarrasser du foin intérieur et recueillir les fonds que l'on broie au mixer après avoir incorporé la crème fraîche et le fond de volaille.
Vérifier l'assaisonnement et garder au chaud au bain-marie en attendant l'emploi.

UTILISATION : Gâteau moelleux d'asperges (*p. 170*)
Mousseline de grenouilles au cresson de fontaine (*p. 188*)
Tourte aux oignons doux (*p. 172*)
Gâteau de carottes fondantes au cerfeuil (*p. 168*)
Escalope de veau grillée au coulis de culs d'artichauts (*p. 269*)

Sauce au persil
Sauce chaude

MARCHÉ POUR 2 PERSONNES

Ingrédients principaux

30 g de persil très frais (plat de préférence)
1 échalote hachée
1 cuillère à café de mousse de champignons (*voir recette p. 323*)
1 cuillère à soupe de fromage blanc 0 %
12 cl de fumet de poisson (*voir recette p. 69*)
1 filet de jus de citron
Sel, poivre

Ustensiles de préparation

1 casserole inoxydable
1 écumoire à manche
1 mixer

1. Laver et équeuter le persil.

2. Chauffer la casserole, y faire cuire à feu doux, pendant 15 minutes, le persil, l'échalote hachée et le fumet de poisson assaisonné de sel et poivre.

3. Égoutter le persil à l'écumoire et le broyer au mixer avec la mousse de champignons, le jus de citron et le fromage blanc 0 %.

Détendre le mélange avec le fumet de poisson de la cuisson.

Rectifier l'assaisonnement.

Réserver au chaud au bain-marie.

UTILISATION : Le grand pot-au-feu de la mer (*p. 252*)
Pot-au-feu de viande en fondue (*p. 260*)

Sauce à la crème d'ail
Sauce chaude

MARCHÉ POUR 4 PERSONNES

Ingrédients principaux
12 gousses d'ail épluchées
70 g de champignons de Paris coupés en deux
25 cl de lait écrémé
1 cuillère à café de glace de veau (*voir recette p. 67*) ou bouillon de volaille en tablettes
1 cuillère à café de persil haché frais
Sel, poivre
1/2 pointe de noix de muscade

Ustensiles de préparation
1 petite casserole à fond épais
1 petit fouet
1 mixer

1. Ébouillanter l'ail, trois fois de suite, dans de l'eau non salée – et renouvelée à chaque fois – cela, pour en atténuer le goût fort et l'âcreté.

2. Délayer au fouet, dans la casserole, le lait écrémé.

Ajouter l'ail, les champignons de Paris, la cuillère à café de persil frais, sel, poivre et muscade.

3. Cuire à feu doux pendant 20 minutes.

Verser cette préparation dans le mixer, broyer le tout après avoir ajouté la cuillère à café de glace de veau (ou de bouillon de volaille dégraissé et très réduit) jusqu'à homogénéité parfaite de l'ensemble.

5. Réserver au chaud, au bain-marie, avant emploi.

UTILISATION : Pigeon grillé à la crème d'ail (*p. 304*)

Sauce à la pomme
Sauce chaude

MARCHÉ POUR 5 PERSONNES

Ingrédients principaux
350 g de pommes fruits, soit environ 3 pommes moyennes
6 cl de jus de citron
4 cl de fond de volaille (*voir recette p. 68*) ou bouillon de volaille en
   tablettes
30 g de zestes de citron
Sel, sucre

Ustensiles de préparation
1 casserole à fond épais et son couvercle
1 mixer
1 bol

1. Avant d'en presser le jus, éplucher les citrons à l'aide d'un couteau économe. Réserver les zestes.

2. Peser 30 g des zestes obtenus et les hacher finement.

3. Les cuire à l'eau bouillante pendant 7 à 8 minutes. Égoutter.

4. Éplucher et évider les pommes (il en reste environ 250 g).

5. Les couper en quatre, puis les mettre à cuire, 20 minutes, dans la casserole, à couvert, avec le jus de citron.

6. Une fois cuites, les verser dans le mixer et broyer fin après avoir ajouté le fond de volaille.

7. Débarrasser dans un bol et y incorporer à la cuillère les zestes hachés de citron.
Vérifier l'assaisonnement.
On peut, selon son goût, ajouter à cette sauce, une pointe de sucre et une toute petite pincée de cannelle.

UTILISATION : Pigeon grillé à la crème d'ail (*p. 304*)

Sauce aux champignons des bois
Sauce chaude

MARCHÉ POUR 6 PERSONNES

Ingrédients principaux

15 g de morilles séchées

15 g de mousserons séchés

15 g de cèpes séchés (les champignons chinois conviennent également très bien)

1/2 litre de fond de veau (*voir recette p. 65*)

2 cuillères à soupe de porto

Sel, poivre

Ingrédients de liaison

1 cuillère à soupe de fromage blanc 0 %

1 cuillère à soupe de mousse de champignons (*voir recette p. 323*)

1/2 citron

Ustensiles de préparation

2 casseroles

1 spatule en bois

1 chinois-étamine

1 mixer

1. Mettre à tremper les champignons à l'eau froide pendant 1/4 d'heure, les changer plusieurs fois d'eau de trempage en les frottant bien entre les mains pour éliminer toute trace de terre ou de sable.
Les égoutter.

2. Chauffer une casserole, y faire revenir, à sec, les champignons, jusqu'à évaporation de leur eau de végétation. Remuer de temps en temps à l'aide d'une spatule en bois.

Ajouter le porto, puis le fond de veau. Assaisonner. Cuire à feu doux et à légers frémissements ; laisser réduire pendant 20 minutes.

4. Au terme de la cuisson passer la sauce au chinois-étamine. Recueillir les champignons et les hacher finement au couteau.

Réserver le hachis.

5. Broyer au mixer la mousse de champignons et le fromage blanc 0 % après y avoir versé la sauce de cuisson et un filet de jus de citron pour en relever le goût.

6. Remettre l'ensemble au chaud en y incorporant le hachis de champignons.

UTILISATION : Gâteau de ris de veau aux morilles (*p. 277*)
Côte de veau « grillée en salade » (*p. 264*)

Sauce « homardière » chaude

MARCHÉ POUR 5 PERSONNES

Ingrédients principaux

5 cl de vin blanc sec
2 cl 5 d'armagnac
12 cl sauce américaine (*voir recette p. 84*)
25 cl de fumet de poisson (*voir recette p. 69*)

Ingrédients de garniture aromatique

70 g de carottes
20 g d'oignons
4 g de sel, 1 pointe de poivre
1 soupçon de fleur de thym
1 cuillère à café d'huile d'olive

Ingrédients de liaison

2 cuillères à soupe de mousse de champignons (*voir recette p. 323*)
1 cuillère à café de crème fraîche (facultatif)
1/2 cuillère à café d'estragon
30 g de fromage blanc 0 %

Ustensiles de préparation

2 petites casseroles
1 petit fouet
1 mixer

1. Dans la première casserole faire bouillir pour réduire leur volume des 3/4, vin blanc et armagnac.

2. Ajouter le fumet de poisson et réduire à nouveau de moitié.

3. Incorporer la sauce américaine. Tenir au chaud.

4. Tailler les ingrédients de garniture (carottes et oignons) en petits dés de 3 mm de section **(mirepoix).**

5. Les mettre à cuire « al dente » (10 minutes) dans la seconde casserole préalablement chauffée et enduite d'huile d'olive. Saler et poivrer.

6. Broyer ensemble au mixer la mousse de champignons, l'estragon, la crème fraîche (facultatif) et le fromage blanc 0 %.

7. Verser cette préparation dans la première casserole sur la sauce de réduction obtenue **(1, 2, 3).**

Bien mélanger au fouet.

8. Ajouter la **mirepoix** de légumes et le soupçon de fleur de thym. Chauffer mais ne plus faire bouillir.

UTILISATION : Poulet en soupière aux écrevisses (*p. 292*)

Sauce sabayon au vin rouge
Sauce chaude

MARCHÉ POUR 4 PERSONNES

Ingrédients principaux
6 cl de vin rouge
6 cl de fumet de poisson (*voir recette p. 69*)
4 tours de moulin à poivre

Ingrédients du sabayon
2 jaunes d'œufs
6 cuillères à soupe d'eau froide

Ustensiles de préparation
1 casserole à fond épais
1 petit saladier
1 petit fouet

1. Faire chauffer la casserole, y mettre à bouillir et réduire de moitié, vin rouge, fumet de poisson et poivre.

2. Dans le saladier creux, mélanger, en les fouettant assez énergiquement, les jaunes d'œufs et l'eau froide, jusqu'à ce que l'ensemble atteigne la consistance d'une mousse crémeuse.

3. L'incorporer, hors du feu, à la réduction bouillante, tout en continuant de fouetter : le sabayon (jaunes d'œufs + eau) se coagule et transmet à l'ensemble un épanouissement de volume et une impression de grande légèreté.

UTILISATION : Le grand pot-au-feu de la mer (*p. 252*)

LES ENTRÉES

Œuf glacé à la ratatouille

MARCHÉ POUR 4 PERSONNES

Ingrédients principaux
1 litre d'eau
5 cl de vinaigre
4 œufs très frais
8 cuillères à soupe de ratatouille (*voir recette p. 338*)
10 cl de gelée (*voir recette p. 177*)
Pluches de cerfeuil

Ustensiles de préparation et de présentation
4 tasses
1 casserole
1 écumoire à manche
1 linge
4 assiettes plates à entremets

1. Préparer la ratatouille (*voir recette p. 338*) puis mettre à refroidir.
2. Faire pocher 4 œufs selon la formule traditionnelle :
— Casser chaque œuf séparément dans une tasse.
— Amener à frémissement 1 litre d'eau et 5 cl de vinaigre (surtout ne *pas saler* : le sel liquéfie l'albumine du blanc).
— Y glisser délicatement les œufs un par un.
— Laisser pocher 3 minutes à frémissement.
— Les égoutter à l'aide d'une écumoire à manche.
— Les plonger quelques secondes dans l'eau glacée pour stopper leur cuisson.
— Les sortir et les poser sur un linge pour les essorer.
Avec un petit couteau, leur donner une belle forme ovale en éliminant les petits filaments de blanc coagulé encore attachés.
3. Amener la gelée à consistance huileuse de nappage ; pour cela la faire fondre sans bouillir dans un récipient et la

refroidir sur de la glace pilée ou au réfrigérateur en la remuant tout doucement jusqu'à ce qu'elle commence « à prendre ».

4. À l'aide d'une cuillère, en **napper** les 4 œufs préalablement rangés sur une grille au réfrigérateur et ressortis juste au moment de cette opération. Répéter cette opération deux ou trois fois jusqu'à ce que l'œuf soit bien lustré de gelée.

5. Décorer chacun d'eux de quelques pluches de cerfeuil en leur centre.

6. Les déposer sur la ratatouille étalée au fond de l'assiette.

Œuf au plat à l'eau

MARCHÉ POUR 1 PERSONNE

Ingrédients principaux
2 œufs frais
1 cuillère à soupe d'eau
Sel, poivre

Ustensiles de préparation
2 plats ronds à œufs (en fonte ou en terre)

1. Chauffer sur le feu l'un des plats à œufs mouillé d'une cuillère à soupe d'eau. Porter à ébullition et retirer du feu vif.

2. Casser les 2 œufs à part dans une assiette et les faire glisser dans le plat à œufs, mouillé de l'eau frémissante.

3. Recouvrir du deuxième plat identique pour permettre aux œufs de cuire à l'étouffée.

4. Mettre à four chaud après trois minutes ; enlever dès que le blanc commence à prendre uniformément.

Saler et poivrer en fin de cuisson.

Huîtres à la poule

MARCHÉ POUR 4 PERSONNES

Ingrédients principaux
4 grosses huîtres plates
4 œufs frais

Ingrédients de décoration
4 grosses crevettes « bouquets »
1 cuillère à café de caviar

Sauce d'assaisonnement
4 cuillères à soupe de sauce de homard à la tomate fraîche et au pistou (*voir recette p. 222*)

Ustensiles de préparation et de présentation
1 casserole
1 écumoire
1 linge

1. Sortir de leur coquille 4 grosses huîtres plates, les pocher 1 minute à température très douce – le dos du doigt doit pouvoir supporter cette chaleur – dans leur eau de cuisson.

2. Faire pocher 4 œufs, selon la formule traditionnelle (*voir recette p. 154*). La cuisson et le refroidissement des œufs terminés, les poser sur un linge propre. Éliminer au couteau les petits filaments de blanc coagulé encore attachés pour leur donner une belle forme ronde.

3. Poser les œufs dans les coquilles d'huître préalablement lavées, les recouvrir des 4 huîtres pochées et **napper** délicatement de sauce homard au pistou.

4. Piquer une grosse crevette au sommet de chaque huître et égrener du caviar autour (facultatif).

Œuf poule au caviar

MARCHÉ POUR 4 PERSONNES

Ingrédients principaux
4 œufs très frais
2 pots de caviar d'Iran « Sévruga » de 30 g chacun
25 g d'oignon
2/3 d'une cuillère à café de ciboulette
2 cuillères à café de fromage blanc 0 %
6 g de sel, une pointe de poivre

Ustensiles de préparation et de présentation
1 petite casserole à fond épais
1 fouet
4 coquetiers

1. Décapiter délicatement chaque œuf à l'aide d'un couteau à scie fine, en sciant la coquille 1 cm au-dessus de la partie la plus renflée de l'œuf ; le vider afin d'en récupérer les deux parties de coquille, pour la présentation. Laver soigneusement toutes ces coquilles à l'eau chaude, et les mettre à sécher retournées sur un linge sec.

2. Battre seulement 3 des œufs récupérés. Les passer au chinois-étamine afin d'éliminer toutes les parcelles de coquille et les germes de blanc d'œuf.

3. Hacher finement l'oignon et la ciboulette au couteau.

4. *CUISSON* :

Dans la casserole verser les œufs battus et mettre à feu doux. Battre vivement à l'aide d'un fouet jusqu'au moment où les œufs commencent à épaissir en crème légère.

5. Retirer du feu. Saler, poivrer. Ajouter en continuant de remuer, le fromage blanc 0 %, l'oignon et la ciboulette hachés. Vérifier l'assaisonnement.

6. Disposer les coquilles d'œufs lavées et vidées dans les coquetiers. Les remplir aux 3/4 de la brouillade d'œufs. Compléter chacun d'eux des 15 g de caviar et recouvrir le tout de la petite coquille restante. On doit apercevoir le caviar sous le petit capuchon de l'œuf.

N.B. Cette brouillade est accompagnée des condiments rituels servis avec le caviar (oignon et ciboulette), ce qui souligne l'agréable parfum slave de cette recette.

Cresson à l'œuf poché

MARCHÉ POUR 4 PERSONNES

Ingrédients principaux
320 g de mousse de cresson (*voir recette p. 326*).
4 œufs frais

Ingrédients de finition
8 pointes d'asperge
4 lamelles de truffe (facultatif)

Ustensiles de préparation et de présentation
2 casseroles
1 écumoire
4 assiettes plates chaudes

1. Faire pocher les 4 œufs selon la formule traditionnelle (*voir recette p. 154*).

Chauffer la mousse de cresson dans une casserole inoxydable.

3. La cuisson des œufs terminée, les éponger sur un linge. Leur donner, à l'aide d'un petit couteau, une jolie forme ovale en éliminant les petits filaments de blanc coagulé encore attachés.

4. Déposer la mousse de cresson dans le fond des assiettes, y coucher les œufs pochés décorés de lamelles de truffe.

Disposer les pointes d'asperges tout autour en couronne.

Tarte de tomates fraîches au thym

MARCHÉ POUR 5 PERSONNES

Ingrédients principaux
500 g de tomates concassées cuites, obtenues à partir de 1,500 kg
   de tomates crues (*voir recette p. 330*)
Sel, poivre
300 g d'épinards en branches
5 petites branches de thym

Ustensiles de préparation et de présentation
1 casserole
5 petites poêles à blinis, diamètre 12 cm ou
5 moules à tartelettes de même dimension

1. Équeuter 300 g d'épinards. Les **blanchir** 2 minutes. Les étaler délicatement à plat sur un linge. En tapisser progressivement les moules ou poêles en laissant suffisamment déborder leurs feuilles.

2. Confectionner la tomate concassée cuite et verser ce mélange dans chaque moule ou poêle. Refermer la « chemise » d'épinards en rabattant bien les feuilles en forme de collerette jusqu'à ce que la tomate ne soit plus visible. Décorer chaque moule ou poêle d'une petite branche de thym.

3. Cuire à four moyen (220 °C, thermostat 7) 15 minutes.

4. Présenter dans le moule ou la poêle, en plaçant sous la branche de thym une cuillère à café de tomate concassée cuite pour obtenir un bel effet de couleurs contrastées.

Artichauts Mélanie

MARCHÉ POUR 4 PERSONNES

Ingrédients principaux

3 fonds d'artichaut ⎫
12 pointes d'asperge ⎭ frais ou conserve
100 g de carotte râpée
40 g de laitue
1 cuillère à café de persil haché

Ingrédients de garniture

40 g de champignons de Paris ⎫
30 g de queues d'asperge ⎪ coupés en petits dés de 1/2 cm
50 g de pommes fruits ⎬ de section **(mirepoix)**
50 g de tomate concassée crue ⎪
   (*voir p. 330*) ⎭

Sauces d'assaisonnement

Sauce mayonnaise (*voir recette p. 126*)
Sauce vinaigrette minceur (*voir recette p. 125*)

Ustensiles de préparation et de présentation

1 casserole
1 bol
4 assiettes plates

1. Si elles sont fraîches, cuire les pointes d'asperge, vertes de préférence de 3 à 5 minutes selon leur grosseur (*voir recette p. 60*).

Cuire les artichauts entiers à l'eau salée et citronnée (*voir recette p. 144*).

Leur enlever les feuilles, le foin ; récupérer les fonds que l'on coupe chacun en quatre.

2. Dans un bol, mélanger délicatement, à l'aide d'une fourchette, les ingrédients de garniture et 2 cuillères à soupe de
sauce mayonnaise. Assaisonner de sel et poivre.
3. Disposer dans le fond de chaque assiette la salade lavée,
essorée et ciselée en lanières.

Dresser au centre et en rond 3 morceaux de fond d'artichaut
relevés de sauce vinaigrette minceur.

Les recouvrir de la garniture assaisonnée équitablement
répartie et décorer des pointes d'asperges.

4. Éparpiller sur l'ensemble la carotte râpée également rele-
vée de sauce.

Parsemer le tout de persil fraîchement haché.

Caviar d'aubergines

MARCHÉ POUR 4 PERSONNES

Ingrédients principaux

2 aubergines de 220 g environ
5 cl d'eau

Ingrédients de garniture

1/2 gousse d'ail hachée
50 g de tomate crue concassée (*voir recette p. 330*)
25 g de pimientos rouges en petits dés
80 g de champignons de Paris
15 g de cerfeuil haché
1 échalote hachée

Ingrédients de liaison

1 jaune d'œuf
1 filet de jus de citron
8 cl d'huile minceur (*voir recette p. 124*)
20 g de fromage blanc 0 %
6 g de sel
1 pointe de poivre

Ingrédients de finition

10 pluches (feuilles) de cerfeuil
8 feuilles de salade

Ustensiles de préparation et de présentation

1 plat creux allant au four
1 poêle antiadhésive
1 saladier
1 petit fouet
1 plat de service

1. Supprimer le pédoncule des aubergines, l'ébouillanter et le **réserver.**

2. Laver les aubergines, les cuire entières à four doux 30 minutes (180 °C, thermostat 5-6), dans un plat recouvert de 5 cl d'eau.

Les retourner plusieurs fois en cours de cuisson.

3. Les mettre à refroidir, les ouvrir en deux dans le sens de la longueur pour les évider et en enlever la chair à l'aide d'une cuillère à café. Prendre soin de ne pas ouvrir de brèche dans la peau noire.

4. Faire sauter dans une poêle antiadhésive les champignons assaisonnés, détaillés en petits dés de 1/2 cm de côté.

Laisser refroidir.

5. Dans un saladier, mettre le jaune d'œuf, le filet de citron, le sel et le poivre et commencer à les « monter » comme une mayonnaise, à l'aide d'un fouet, en incorporant les 8 cl d'huile minceur et les 20 g de fromage blanc 0 %.

Une fois la mayonnaise prête, y incorporer tous les ingrédients de la garniture sans oublier la préparation du **(4)**.

6. Garnir les peaux d'aubergine de ce mélange **(5)** en ayant soin de leur redonner leur forme primitive.

7. Tapisser le fond du plat de service des feuilles de salade. Y déposer les aubergines en les décorant de leur pédoncule et, en guise d'arête médiane, d'un cordon léger de pluches de cerfeuil.

Gâteau d'herbage à l'ancienne

MARCHÉ POUR 4 PERSONNES

Ingrédients principaux
4 feuilles de chou vert
150 g d'épinards
60 g d'oseille
150 g de poireaux
60 g de blettes
1 bouquet garni (*voir p. 99*)

Ingrédients de liaison
1 œuf entier
1 blanc d'œuf
20 cl d'eau
20 g de poudre de lait écrémé
1/3 de cuillère à café d'estragon haché
1/3 de cuillère à café de ciboulettes hachées
1/2 cuillère à café de persil haché
1/2 oignon haché

Ustensiles de préparation et de présentation
1 grande casserole
1 saladier
1 fouet
1 moule à gâteau en terre ou en fer-blanc, hauteur 4 cm,
    diamètre 16 cm
1 bain-marie
1 plat de service rond

1. *Préparation des légumes :*
— Débarrasser les feuilles de chou vert de leurs grosses côtes.
— Laver et équeuter les épinards, l'oseille et les blettes.

166

— Laver et émincer les poireaux en fines rondelles.

2. *Cuisson des légumes :*
Blanchir à l'eau bouillante salée, et aromatisée du bouquet garni :
— pendant 4 minutes : les feuilles de chou, les épinards, l'oseille et les blettes,
— pendant 9 minutes : les poireaux émincés.

3. Préparer les ingrédients de liaison : battre l'œuf entier et le blanc d'œuf à la fourchette, simplement pour casser leur résistance. Ajouter le lait écrémé, le sel, le poivre et les herbes hachées.

4. Tapisser le fond et les rebords du moule à gâteau des feuilles de chou. Celles-ci doivent déborder suffisamment, pour qu'une fois le moule garni on puisse les replier sur le dessus, enfermant ainsi complètement les ingrédients de la farce.

5. « Monter » le gâteau, couche par couche, en intercalant poireaux, épinards, oseille, blettes et ingrédients de liaison **(3)**. Refermer avec les feuilles de chou.

6. Cuire le gâteau, recouvert d'un papier aluminium, à four moyen (220 °C, thermostat 7) et au bain-marie pendant 1 h 15.

7. Sortir du four et attendre 15 minutes avant de démouler sur le plat de service pour permettre au gâteau de se tasser et de garder une belle forme au découpage.

Gâteau de carottes fondantes au cerfeuil

MARCHÉ POUR 4 PERSONNES

Ingrédients principaux

460 g de carottes
35 g de beurre frais
3 cuillères à café rases d'aspartam
6 g de sel
1 pointe de poivre
1/4 de litre de fond de volaille (*voir recette p. 68*) ou bouillon de
   volaille en tablettes

Ingrédients de garniture

1 cuillère à café d'huile d'olive
100 g de champignons de Paris
1/2 échalote hachée

Ingrédients de liaison

2 œufs entiers
20 g de gruyère râpé
20 g de cerfeuil haché gros

Sauces d'accompagnement

coulis d'asperges (*voir recette p. 141*)
ou
coulis d'artichauts (*voir recette p. 144*)

Ustensiles de préparation

1 casserole à fond épais et son couvercle
1 petite poêle antiadhésive
1 moule en couronne et côtelé (genre savarin ou kouglof)
1 petit pinceau
1 petit saladier
1 plat rond de service

1. Laver et gratter les carottes au couteau économe.

2. Les couper en rondelles de 1/2 cm d'épaisseur.

3. Faire chauffer le beurre (25 g) dans la casserole, y faire « revenir » les carottes pour les colorer légèrement sans les cuire.

4. Ajouter les 3 cuillères à café rases d'aspartam[*], le bouillon de volaille, sel et poivre.

Couvrir et cuire à feu moyen pendant 20 minutes.

Passé ce temps, le bouillon doit s'être évaporé.

5. Détailler les champignons en petits dés de 1/2 cm d'épaisseur. Les faire sauter dans la poêle enduite d'une cuillère à café d'huile d'olive en ajoutant l'échalote hachée.

6. Retirer les carottes de leur casserole de cuisson **(4)** et les hacher grossièrement :

— soit à l'aide d'un couteau,

— soit au moulin à légumes (grosse grille).

7. Dans un saladier battre les œufs avec une fourchette, y ajouter le hachis de carottes, le mélange champignons/échalote, gruyère râpé et cerfeuil.

Mélanger délicatement l'ensemble.

8. À l'aide d'un petit pinceau, enduire le moule des 10 g de beurre restants. Le garnir du mélange.

9. Cuire le gâteau, recouvert d'une feuille de papier aluminium, au four et au bain-marie (220 °C, thermostat 7), pendant 20 minutes.

10. Démouler sur le plat rond de service et entourer du coulis d'asperges ou d'artichauts.

* Une cuillère à café rase d'aspartam correspond à la valeur d'un stick.

Gâteau moelleux d'asperges

MARCHÉ POUR 4 PERSONNES

Ingrédient principal
1 kg d'asperges

Ingrédients de liaison
2 œufs entiers
1 jaune d'œuf
8 g de sel
1 pointe de poivre
1 soupçon de muscade râpée

Ingrédients de garniture
12 pointes d'asperge
1 cuillère à café de sauce coulis de tomates fraîches (*voir recette*
  p. 142)
1/2 cuillère à café de persil haché

Sauces d'accompagnement
coulis d'asperges (*voir recette p. 141*)
ou
coulis d'artichauts (*voir recette p. 144*)

Ustensiles de préparation et de présentation
1 casserole
1 mixer
4 petits pots en terre ou en verre de diamètre 9 cm, hauteur 4 cm
4 assiettes plates chaudes

1. Éplucher les asperges au couteau économe – dans le sens tête-queue – laver et cuire à grande eau salée (*voir recette p. 60*).
2. Les égoutter et les passer au mixer. S'il reste des parties ligneuses prendre soin de tamiser cette marmelade.

3. La verser dans une casserole sur feu doux et laisser réduire de 1/3 de son volume en remuant fréquemment.

4. Retirer du feu, puis y mélanger, à l'aide d'un fouet, les 2 œufs entiers, le jaune d'œuf, sel, poivre et muscade.

5. Enduire au pinceau l'intérieur des pots d'un peu de beurre – il s'éliminera en cours de cuisson – et les remplir de la marmelade **(2, 3, 4).**

6. Cuire au bain-marie à four moyen (220 °C, thermostat 7) pendant 1 heure.

À mi-cuisson, recouvrir les pots d'une feuille de papier aluminium.

7. Réchauffer les pointes d'asperge à l'eau salée.

Démouler les gâteaux d'asperges sur les assiettes que vous aurez **nappées** de la sauce choisie, en les décorant chacune de 3 pointes d'asperge disposées en bottillon lié d'un cordon de sauce coulis de tomates fraîches.

Parsemer la sauce de persil fraîchement haché.

Tourte aux oignons doux

MARCHÉ POUR 6 PERSONNES

Ingrédients principaux de la farce

1 kg d'oignons épluchés et coupés en fines lamelles (émincés)

200 g de champignons de Paris ⎱ coupés en petits dés de 1/2 cm
150 g de carottes, pelées ⎰ de section **(mirepoix)**

6 feuilles de chou vert (dont on enlève les grosses côtes)

1 pincée de fleur de thym

1 cuillère à café d'huile d'olive (facultatif)

Sel, poivre

Ingrédients de liaison

2 œufs

20 g de poudre de lait écrémé

20 cl d'eau

Sauces d'accompagnement

20 cl coulis de tomates (*voir recette p. 142*)

ou 20 cl coulis d'artichauts (*voir recette p. 144*)

ou 20 cl coulis d'asperges (*voir recette p. 141*)

Ustensiles de préparation et de présentation

1 casserole à fond épais + couvercle

1 seconde casserole

1 moule à gâteau en terre ou en fer-blanc diamètre 16 cm,
   hauteur 4 cm

1. Dans la casserole à fond épais, faire suer à sec (rendre l'eau de végétation) les dés de carotte. On peut faciliter l'opération en ajoutant une cuillère à café d'huile d'olive (facultatif). Remuer régulièrement à la spatule pour éviter aux carottes d'attacher. Les cuire ainsi pendant 5 minutes.

Puis ajouter les oignons émincés, salés et poivrés. Couvrir la casserole et laisser à feu moyen 15 minutes.

2. En fin de cuisson **(1)**, ajouter en les mélangeant avec une fourchette les dés de champignon et laisser cuire 10 minutes.

3. Ébouillanter à l'eau salée – **blanchir** – les six grandes feuilles de chou vert, pendant 4 minutes, les égoutter à plat sur un linge.

4. *Préparation des ingrédients de liaison :* Battre les œufs à l'aide d'une fourchette, simplement pour en casser la résistance. Ajouter le lait écrémé, le sel et le poivre.

5. Tapisser le moule à gâteau des feuilles de chou. Celles-ci doivent en recouvrir le fond, les bords et déborder suffisamment pour qu'une fois le moule garni, on puisse les replier sur le dessus, enfermant ainsi complètement les ingrédients principaux de la farce **(1, 2)**.

6. Mélanger la farce à la liaison **(4)**. Remplir le moule, recouvrir des feuilles de chou, et cuire recouvert d'un papier aluminium, au bain-marie à four moyen (220 °C, thermostat 7) pendant 50 minutes.

7. Sortir du four, attendre 10 minutes avant de démouler, pour permettre à la tourte de conserver une belle forme. La retourner sur un plat rond et verser autour la sauce d'accompagnement choisie.

Soufflé aux tomates fraîches

MARCHÉ POUR 4 PERSONNES

Ingrédients principaux

1 litre de coulis de tomates fraîches (*voir recette p. 142*)
2 feuilles de gélatine
6 blancs d'œufs
1/2 cuillère à café d'estragon haché

Ustensiles de préparation et de présentation

1 casserole
2 saladiers
4 petits pots en terre, verre ou autre, diamètre 9 cm, hauteur 4 cm
1 fouet à blancs
1 petit fouet
1 spatule en bois

1. Mettre à tremper les feuilles de gélatine 1/4 d'heure dans l'eau froide pour les ramollir.

2. Faire bouillir et réduire, des 2/3 de son volume, le coulis de tomates avec l'estragon.

Incorporer la gélatine – les 2 feuilles de gélatine peuvent être remplacées par 2 jaunes d'œufs un peu plus caloriques cependant – et mettre à refroidir dans un saladier.

3. Enduire très légèrement de beurre, à l'aide d'un pinceau, l'intérieur des petits pots.

4. Monter les blancs en neige :

— Mettre les blancs d'œufs dans le second saladier ; les battre doucement au début, à l'aide du fouet à blancs, pour rompre leur résistance.

— Augmenter progressivement le rythme dès que les blancs commencent à « blanchir ».

—Ne pas les amener cependant à une consistance trop ferme. (Le montage des blancs peut se faire au batteur électrique.)

5. Prendre une partie de ces blancs montés et les mélanger souplement au coulis de tomates froid **(2)** à l'aide d'un petit fouet.

Lorsque ce premier mélange est réalisé, y ajouter tout le restant des blancs, que l'on incorpore délicatement à l'aide d'une spatule en bois.

6. Remplir les petits pots à ras bord.

—En lisser la surface à l'aide d'une palette en acier ou du dos de la lame d'un couteau.

—Avec le pouce, décoller le mélange des bords du moule sur 1/2 cm de largeur afin de permettre aux soufflés de mieux monter.

Cuire à four moyen (220 °C, thermostat 7), pendant 8 à 10 minutes.

Servir aussitôt sortis du four.

Note de l'auteur :

On peut ajouter à cette recette une note de fantaisie, en introduisant un œuf poché au cœur du soufflé, avant de le cuire.

Les autres soufflés de légumes se font de la même manière en remplaçant le coulis de tomates réduit par le volume correspondant de la purée du légume choisi.

Truffes sous le sel

MARCHÉ POUR 3 PERSONNES

Ingrédients principaux
3 truffes de 40 g fraîches ou cuites
1 blanc de poulet (aile) cru
600 g de gros sel
2 blancs d'œufs
1 cuillère à café de farine

Ingrédients de la marinade
1 cuillère à soupe d'huile d'olive
1/2 jus de citron
1 pincée de poivre, sel

Ustensiles de préparation et de présentation
3 feuilles de papier aluminium (20 cm × 20 cm)
3 assiettes plates chaudes

1. Escaloper en fines lamelles le blanc de poulet cru. Mettre à mariner 1 heure avec huile, poivre, sel et jus de citron.

2. Éplucher les truffes à l'aide d'un couteau économe. Réserver les parures pour un autre emploi.

3. Préparer l'habit de sel : Battre légèrement les blancs d'œufs à la fourchette, les mélanger avec le gros sel et la farine pour en faire une pâte homogène.

4. Emmailloter chaque truffe en l'enroulant dans les escalopes de poulet et recouvrir la boulette ainsi formée de pâte au gros sel, en lui conservant cette forme de pelote.

5. Enfermer hermétiquement chaque boulette dans sa feuille de papier aluminium et cuire sur plaque à four chaud (240 °C, thermostat 8) 30 minutes.

6. Pour déguster, ouvrir les papillotes, casser la croûte de sel, poser les escalopes de poulet au fond des assiettes et ranger dessus les truffes détaillées en lamelles salées et poivrées.

« Hure » de saumon au citron et poivre vert

MARCHÉ POUR 10 PERSONNES

Ingrédients principaux

500 g de saumon en filets désarêtés
3 œufs entiers
5 citrons
80 g de piment rouge (pimientos en conserve) détaillés en petits dés
40 g de poivre vert
2 cuillères à soupe de persil haché frais
1 cuillère à café d'estragon haché frais
2 échalotes hachées
10 g de sel, 3 g de poivre
1/4 de litre de vin blanc sec
1/4 de litre de fumet de poisson (*voir recette p. 69*)

Ingrédients de la gelée

1 litre de fumet de poisson
120 g de tomates
70 g d'oignon
70 g de blanc de poireau
1/4 de branche de céleri
20 g de champignons de Paris
2 cuillères à soupe de cerfeuil et estragon hachés frais
200 g de viande hachée de bœuf
8 feuilles de gélatine
2 cl de jus de citron
10 g de sel, 3 g de poivre
2 blancs d'œufs

Sauce d'accompagnement

Sauce grelette (*voir recette p. 133*)

Ustensiles de préparation et de présentation

1 casserole à fond épais, 1 chinois-étamine, 1 plat ovale, 1 terrine en porcelaine (genre charcutier) de 15 cm de longueur, 9 cm de largeur, 10 cm de hauteur

1. Mettre la terrine en porcelaine au réfrigérateur.

Préparation de la gelée :
* Clarification du fumet de poisson **(3, 4)**.

2. Tailler grossièrement en cubes les légumes des *ingrédients de la gelée* (oignon, blanc de poireau, céleri, tomates, champignons de Paris).

3. Les mettre dans la casserole avec la viande hachée, le jus de citron, l'estragon, le cerfeuil, sel, poivre et les 2 blancs d'œufs « cassés » à la fourchette pour rompre leur résistance.

4. Verser le fumet de poisson en remuant avec une cuillère en bois et porter le tout à faible ébullition. Laisser cuire à frémissement pendant 20 minutes.

5. Faire tremper les feuilles de gélatine 10 minutes dans de l'eau fraîche pour les faire gonfler et les rendre souples. Les égoutter et les incorporer au fumet de poisson.

6. Humecter un linge et en garnir l'intérieur du chinois-étamine. Passer doucement la gelée dessus.
La conserver au réfrigérateur en la tournant de temps en temps pour éviter qu'elle ne fige.

Préparation de la garniture :
7. Couper le saumon en lanières de 2 cm de côté.
Le mettre à mariner dans un plat ovale allant au feu, avec le vin blanc, fumet de poisson, persil, sel et poivre, pendant 1 heure.

8. Cuire durs (8 minutes) les 3 œufs à l'eau bouillante.
Les rafraîchir et séparer jaunes et blancs en les hachant indépendamment.

9. Pocher 2 à 3 minutes (pas plus) le saumon dans sa marinade que l'on porte simplement à ébullition.
L'égoutter sur un linge.

10. Peler à vif les 5 citrons (enlever écorces et parties blanches à l'aide d'un petit couteau bien tranchant).
Couper la pulpe en petits dés.

Montage de la terrine :
Pendant toute cette opération, la gelée de poisson doit être maintenue froide à la consistance de l'huile, c'est-à-dire prête à « prendre ».

11. Verser une petite louche de gelée au fond de la terrine.
Parsemer des *ingrédients de garniture* : blancs et jaunes d'œufs hachés, dés de citron et de piment, poivre vert en grains, échalote, cerfeuil, estragon hachés.
Y allonger quelques lanières de saumon.
Mettre cette 1re couche à gélifier au réfrigérateur.

12. Recommencer cette opération jusqu'à remplissage du moule et épuisement des ingrédients.
Réserver au frais 24 heures.

Présentation :
13. Pour servir, démouler la terrine en la trempant quelques secondes dans l'eau chaude.
Couper en tranches de 1 cm d'épaisseur.
Accompagner de sauce grelette (*voir recette p. 133*).
* Mélangés aux légumes, les blancs d'œufs (albumine) se coagulent au contact de la chaleur et remontent à la surface en formant une pellicule épaisse sur laquelle vont venir se fixer toutes les impuretés du liquide à assainir, d'où « clarification ». Celle-ci provoque, bien sûr, un affaiblissement des arômes du fumet ou du bouillon à traiter ; c'est pourquoi, en contrepartie, on ajoute, lors de l'opération, de la viande hachée qui va compenser cette déperdition de sucs.

Terrine de poissons aux herbes fraîches

MARCHÉ POUR 10 PERSONNES

Ingrédients principaux de la farce

320 g de poisson ⎱ 80 g de lotte
désarêté ⎰ 240 g de saumon
1/4 d'œuf entier cru et battu
1/2 blanc d'œuf
25 g d'épinard cru
15 g d'oseille crue
30 g de cresson cru
15 g d'estragon
15 g de cerfeuil
6 g de sel
1 pointe de poivre
1 pointe d'ail haché

Ingrédients de garniture

5 cl de vin blanc sec
200 g de champignons de Paris
200 g de filets de poisson (saumon, saint-pierre ou brochet ou
    merlan, en parties égales)
1 cuillère à soupe de persil
1/2 échalote hachée
15 g de gelée de poisson (facultatif) (*voir recette p. 177*)
3 g de sel
1 pointe de poivre

Ustensiles de préparation et de présentation

1 plat pour mettre le poisson à mariner
1 casserole
1 poêle antiadhésive
1 saladier

180

1 mixer
1 terrine en porcelaine (genre charcutier) de 15 cm de longueur, 9 cm
de largeur, 10 cm de hauteur

Préparation de la garniture :
1. Détailler en lanières de 1 cm de côté les 200 g de filets de
poisson dont on a retiré l'arête et la peau.
2. Les faire mariner 1 heure dans 5 cl de vin blanc.
Assaisonner de sel, poivre et d'une cuillère à soupe de persil
fraîchement haché.
3. Détailler en petits dés de 1/2 cm de côté les 200 g de
champignons de Paris.
4. Les faire sauter avec 1/2 échalote hachée :
— soit dans une poêle antiadhésive,
— soit dans une poêle enduite d'une cuillère à café d'huile
d'olive.

Préparation de la farce :
5. Blanchir (ébouillanter) le cresson, l'oseille et les épinards
dans la même eau salée.
6. Broyer au mixer les 320 g de poisson (lotte + saumon)
avec sel, poivre, ail pendant 2 minutes.
Ajouter les légumes verts ébouillantés (épinard, cresson,
oseille) et les herbes (estragon, cerfeuil).
Broyer 1 minute.
Ajouter les œufs (1/4 d'œuf cru battu + 1/2 blanc d'œuf).
Broyer à nouveau 2 minutes puis incorporer à la farce ainsi
obtenue les champignons de Paris préparés (**3 et 4**).

Montage de la terrine :
7. Chemiser entièrement la terrine de 1/2 cm d'épaisseur de
farce.
Y allonger une couche de lanières des poissons marinés et
égouttés.
Recouvrir d'une autre couche de farce.

Renouveler cette opération jusqu'au remplissage complet de la terrine, la dernière couche devant être une couche de farce.

8. Recouvrir d'une feuille de papier aluminium.

9. Mettre à cuire au bain-marie à four moyen (200 °C, thermostat 6) 50 minutes.

10. Laisser refroidir la terrine. Pendant qu'elle refroidit, la recouvrir d'une gelée de poisson mélangée de persil.

Puis garder au réfrigérateur jusqu'à l'utilisation.

11. On peut

— soit démouler la terrine et la détailler en tranches régulières de 1 cm d'épaisseur,

— soit trancher dans la terrine même au fur et à mesure des besoins.

Ces tranches sont plus nettes si l'on utilise la lame d'un couteau trempée dans l'eau chaude.

12. Accompagner d'une sauce grelette (*voir recette p. 133*).

Terrine de loup chaude aux pointes d'asperge

MARCHÉ POUR 4 PERSONNES

Ingrédients principaux de la farce et de sa garniture

1 loup (ou bar) de 700 g
ou
350 g de chair de filet de loup
2 blancs d'œufs
30 cl de lait écrémé
sel, poivre
12 pointes d'asperge (fraîches ou en conserve)
1 cuillère à café d'échalote hachée
1 cuillère à café d'estragon
6 cl de vin blanc sec
20 g de beurre

Ingrédients de la sauce d'accompagnement

25 cl de fumet de poisson (*voir recette p. 69*)
1 cuillère à café d'échalote hachée
60 g de champignons de Paris
15 g de poudre de lait écrémé
1 cuillère à café de crème fraîche
1 cuillère à café d'huile d'olive

Ustensiles de préparation et de présentation

1 plat creux pour la marinade
1 casserole à fond épais
1 mixer
1 pinceau
4 petites terrines en terre et leur couvercle, longueur 10 cm, hauteur
    4 cm
1 plat ovale de service

1. *Préparation du poisson :*
— Faire lever les filets du loup par le poissonnier ou bien **ébarber,** écailler et vider le poisson.
— Le désosser (ou désarêter) : inciser avec un couteau souple tout le long de l'épine dorsale et dégager entièrement les 2 filets.
— Leur enlever la peau en passant ce même couteau entre chair et peau, le filet étant maintenu à plat sur la table.
— Mettre à mariner ces filets pendant 2 heures avec les 6 cl de vin blanc sec, la cuillère à café d'échalote et l'estragon haché.

2. *Préparation de la farce :*
— Broyer au mixer, pendant 2 minutes, 220 g de filet de loup avec sel et poivre.
— Ajouter les blancs d'œufs, rebroyer 1 minute.
— Incorporer seulement à ce moment les 30 cl de lait écrémé. Broyer 2 minutes de plus.
— Si elles sont fraîches, cuire les pointes d'asperge 3 à 4 minutes à l'eau salée bouillante. Les égoutter.
— Détailler les 130 g de filet de loup restants en petits dés de 1/2 cm de section.

3. *Moulage des terrines :*
— Ramollir les 20 g de beurre en pommade et en badigeon-ner légèrement au pinceau l'intérieur des petites terrines.
— Les remplir à mi-hauteur de farce, les garnir des dés de filet de loup et de 3 pointes d'asperge chacune.
— Recouvrir du restant de farce jusqu'au ras des moules.
— Coiffer les terrines de leurs couvercles et cuire au bain-marie à four moyen (220 °C, thermostat 7) pendant 15 minu-tes.

4. *Préparation de la sauce :*
— Pendant la cuisson des terrines, faire revenir, 3 minutes, sans colorer, dans une casserole à fond épais, préalablement

enduite d'huile d'olive, l'échalote hachée et les 60 g de champignons de Paris lavés et coupés en quatre.

— Verser dessus le vin blanc de la marinade **(1)**, le faire réduire de moitié pour en éliminer l'alcool et ajouter le fumet de poisson et la poudre de lait délayée dedans.

— Cuire à feu moyen – bouillons légers – pendant 15 minutes et broyer le tout au mixer après avoir ajouté la cuillère à café de crème fraîche.

— **Réserver** et tenir au chaud.

5. *Pour le service :*
Présenter sur un plat ovale les terrines sortant du four, leur ôter le couvercle et les démouler devant les convives en les **nappant** de la sauce obtenue **(4)**.

Gâteau de foies blonds de volaille

MARCHÉ POUR 4 PERSONNES

Ingrédients principaux

110 g de foies de volaille bien blonds
3/4 d'un œuf entier cru
50 g de lait écrémé
5 g de sel + 1 pointe de poivre et muscade en poudre
1/2 gousse d'ail
1/2 cuillère à café de persil haché frais
1/2 cuillère à café de jus de truffe (facultatif)

Sauce d'accompagnement

15 cl de coulis de tomates fraîches (*voir recette p. 142*)
5 cl de sauce américaine réduite (*voir recette p. 84*)

Ingrédients de décoration

4 écrevisses entières
3 olives noires

Ustensiles de cuisson et de préparation

1 pinceau
1 mixer
1 saladier
1 petite casserole
4 petits pots en terre ou porcelaine à feu, diamètre 9 cm,
    hauteur 4 cm
1 feuille de papier aluminium
1 plat de service

1. Parer – nettoyer – les foies, en enlevant le fiel et les parties verdâtres.

2. Les broyer au mixer avec le sel, le poivre, la muscade, l'ail, les 3/4 d'œuf battu, le jus de truffe (facultatif) et le lait puis le persil haché frais.

3. À l'aide d'un pinceau, enduire très légèrement de beurre l'intérieur des 4 petits pots – le beurre s'éliminera tout seul au démoulage. Pour empêcher le gâteau de coller, on peut aussi tout simplement mouiller d'eau à l'aide du pinceau l'intérieur – fond et tour – des moules.

4. Cette opération terminée, garnir les pots du mélange préparé au **(2)** et cuire au bain-marie, à four moyen (220 °C, thermostat 7) pendant 20 minutes. Pour la cuisson, les protéger d'une feuille de papier aluminium.

5. Pendant ce temps, pocher les 4 écrevisses, 2 minutes, dans de l'eau salée bouillante, ou mieux dans 12 cl d'eau + 12 cl de vin blanc assaisonnés d'un mini-bouquet garni, sel, poivre, 1/2 échalote hachée.

6. La cuisson des gâteaux terminée, les démouler sur un plat et les napper des 15 cl de coulis de tomates (*voir recette p. 142*) mélangés à 5 cl de sauce américaine réduite (*voir recette p. 84*). Disposer autour les 4 écrevisses pochées et décorer les gâteaux de 1/2 olive noire.

Mousseline de grenouilles au cresson de fontaine

MARCHÉ POUR 4 PERSONNES

Ingrédients principaux

80 g de chair de grenouille crue (soit environ 6 grenouilles)
8 grenouilles crues
2 noix de coquilles Saint-Jacques crues (soit environ 35 g)
25 cl de fumet de poisson (*voir recette p. 69*)
1/2 œuf entier
3 g de sel + 1 pointe de poivre
6 l de lait écrémé
2 cuillères à soupe de mousse de cresson (*voir recette p. 326*)
Mini-bouquets de persil frais

Sauces d'accompagnement

20 cl coulis de tomates (*voir page 142*)
ou
20 cl coulis d'artichauts (*voir page 144*)
ou
20 cl coulis d'asperges (*voir page 141*)

Ustensiles de préparation

1 saladier
1 petite casserole
1 pinceau
1 mixer
4 petits pots en terre ou porcelaine à feu, diamètre 9 cm,
    hauteur 4 cm
1 feuille de papier aluminium
1 plat de service

1. Broyer au mixer les 80 g de chair de grenouille et les 2 noix de Saint-Jacques, le 1/2 œuf battu, le lait écrémé et la mousse de cresson, le tout assaisonné de sel et poivre.

2. À l'aide d'un pinceau, enduire très légèrement de beurre l'intérieur des 4 petits pots – le beurre s'éliminera tout seul au démoulage. Pour empêcher la mousseline de coller, on peut aussi tout simplement mouiller d'eau, à l'aide du pinceau, l'intérieur – fond et tour – des moules.

Cette opération terminée, garnir les petits pots du mélange préparé au **(1)** et cuire au bain-marie, à four moyen (220 °C, thermostat 7) pendant 10 minutes. Pour la cuisson, les couvrir d'une feuille de papier aluminium.

3. Pocher les 8 grenouilles, pendant 2 minutes, dans les 25 cl de fumet de poisson (*voir recette p. 69*) ou dans 12 cl d'eau + 12 cl de vin blanc, assaisonnés d'un mini-bouquet garni, sel, poivre, 1/2 échalote hachée.

4. La cuisson des mousselines terminée, les démouler sur un plat de service et verser tout autour :

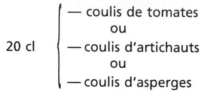

20 cl
— coulis de tomates
ou
— coulis d'artichauts
ou
— coulis d'asperges

Disposer autour les 8 grenouilles pochées, en dressant entre leurs pattes les mini-bouquets de persil frais.

LES SALADES

Salade à la geisha

MARCHÉ POUR 2 PERSONNES

Ingrédients principaux

2 tomates moyennes
80 g de chair de crabe
1 pamplemousse
40 g de carotte épluchée
50 g de pousses de soja
6 crevettes « bouquets »
1/2 cuillère à café de cerfeuil haché frais
30 g de chicorée frisée

Sauce d'assaisonnement

Sauce rose (*voir recette p. 129*) ou
Sauce vinaigrette minceur (*v. recette p. 125*)

Ustensiles de préparation et de présentation

1 casserole
1 petit saladier
1 moulinette à légumes
2 assiettes plates

Préparation des légumes :

1. Après leur avoir enlevé les pédoncules, ébouillanter les tomates 15 secondes pour les peler plus facilement. Les décalotter et **réserver** les « chapeaux » ainsi obtenus. À l'aide du manche d'une cuillère à café, enlever les pépins du socle de la tomate. Le presser légèrement dans le creux de la main pour éliminer l'eau de végétation. Saler et poivrer l'intérieur.

2. Peler à vif le pamplemousse.
Enlever à l'aide d'un petit couteau bien tranchant, la peau du fruit, puis inciser le long des membranes intérieures de

séparation et sortir les quartiers ainsi mis à nu. Détailler la moitié des quartiers obtenus en petits cubes. Conserver le reste pour un autre usage. Effectuer ce travail au-dessus d'une assiette pour récupérer le jus.

3. Râper les 40 g de carotte à la moulinette.

4. Plonger 5 secondes les germes de soja dans de l'eau bouillante.

Présentation :

5. Garnir les deux socles de tomate de la chair de crabe mélangée aux dés de pamplemousse.

6. Les poser au milieu de chaque assiette sur un lit de salade frisée.

7. Assaisonner les germes de soja et les carottes râpées de la sauce choisie. Puis les disposer tout autour des tomates.

8. Appuyer les crevettes « bouquets » contre les tomates, antennes en l'air.

9. Coiffer les tomates de leur chapeau et voiler très légèrement l'ensemble de la sauce choisie. Parsemer de cerfeuil haché.

Salade des prés à la ciboulette

MARCHÉ POUR 4 PERSONNES

Ingrédients principaux

120 g de haricots verts très fins

150 g de cèpes frais (ou en conserve « au naturel ») – le cèpe peut être remplacé par des champignons de Paris

1 pamplemousse

1 pomme fruit

80 g de carotte râpée

20 g de grains de maïs pochés (en conserve)

20 g de ciboulette hachée

1 laitue

Sauce d'assaisonnement

Sauce préférée (*voir recette p. 132*) ou

Huile minceur (*voir recette p. 124*)

Ustensiles de préparation et de présentation

1 casserole inoxydable

5 bols

4 assiettes plates

1. Peler à vif le pamplemousse. Puis, à l'aide d'un petit couteau bien tranchant, inciser le long des membranes de séparation intérieure, en dégageant les quartiers ainsi mis à nu. Récupérer dans un bol le jus qui coule pendant cette opération.

2. Peler et couper la pomme en tranches fines.

Les mettre à macérer dans le bol avec les quartiers de pamplemousse et leur jus.

3. Cuire les haricots verts « al dente » (*voir recette p. 59*).

4. S'ils sont frais, débarrasser les cèpes de leur terre, les laver et les ébouillanter 1 minute à l'eau salée. Les couper en fines lamelles.

5. Assaisonner de la sauce choisie tous les légumes séparément : haricots verts, cèpes, carotte râpée, maïs.

6. Disposer la salade lavée et essorée dans le fond des assiettes.

7. Au centre, monter en dôme les haricots verts. Tout autour ranger en couronne la carotte râpée et, légèrement décalés, les quartiers de pamplemousse et de pomme, se chevauchant de manière à présenter une jolie palette colorée.

8. Terminer en parsemant tout le dessus de grains de maïs et de ciboulette.

Salade de truffes au persil

Ingrédients principaux
20 g de persil plat de préférence
40 g de truffes
1 fond d'artichaut fraîchement cuit ou en conserve
80 g de tomate concassée crue *(voir p. 330)*
8 feuilles de laitue

Sauce d'assaisonnement
Huile minceur *(voir recette p. 124)*

Éléments de décor
2 lamelles de truffe

Ustensiles de préparation et de présentation
2 petits pots en terre ou verre, diamètre 9 cm, hauteur 4 cm
2 assiettes plates

1. *Préparation des légumes :*
— Laver le persil, l'essorer et détacher les feuilles des tiges.
— Concasser la tomate fraîche en petits dés *(voir recette p. 330)*.
— Tailler les truffes en **julienne** fine, petits bâtonnets de 3 cm × 2 mm.
— Ciseler la laitue en chiffonnade (lanières de la largeur d'un petit doigt).
— **Escaloper** le fond d'artichaut, en fines tranches.
— Assaisonner, séparément, chacun de ces légumes de la sauce choisie.
2. Garnir les petits pots dans l'ordre suivant :
— feuilles de persil plat,
— **julienne** de truffes,

— tomate concassée en dés,
— chiffonnade de salade.
Bien tasser les moules.
3. Démouler sur 2 assiettes.
— Disposer, en couronne, autour des gâteaux ainsi moulés, les tranches d'artichaut **escalopées.**
— Décorer le dessus du gâteau des lamelles de truffe.

Salade pleine mer

MARCHÉ POUR 2 PERSONNES

Ingrédients principaux
200 g de haricots verts très fins
80 g de filet de sole
4 langoustines
2 coquilles Saint-Jacques
40 cl de fumet de poisson (*voir recette p. 69*)
4 feuilles de salade verte

Sauce d'assaisonnement
Au choix :
Huile minceur (*voir recette p. 124*) ou
Sauce homardière froide (*voir recette p. 136*)

Ingrédients de décoration
2 écrevisses entières
1 cuillère à café de cerfeuil

Ustensiles de préparation et de présentation
1 casserole
1 petit saladier
2 assiettes plates

1. *Préparation du poisson et des crustacés :*
— Détailler le filet de sole en « goujonnettes » – gros bâtonnets pris en biais dans la largeur du filet.
— Détacher les queues des langoustines. Les décortiquer.
— Ouvrir les coquilles Saint-Jacques. Retirer la noix de la coquille.

2. Éplucher les haricots verts et les cuire « al dente » (*voir recette p. 59*).

198

3. Dans un petit saladier, assaisonner les haricots verts refroidis avec la sauce choisie.

4. *Cuisson des poissons :*
— Mettre la casserole à chauffer, y verser le fumet de poisson et porter à ébullition.
— Pocher dans ce fumet le poisson et les crustacés l'un après l'autre – une ébullition de 1 à 2 minutes suffit.
— Les sortir de la cuisson à l'aide d'une écumoire et les mettre à refroidir sur un linge.

5. *Présentation :*
— Au fond des assiettes habillées de salade verte, dresser les haricots verts, assaisonnés, en forme de dôme.
— Après avoir tranché les coquilles Saint-Jacques en rondelles très fines, disposer celles-ci en couronne autour des haricots verts.
— Répartir sur cette couronne goujonnettes et langoustines.
— Recouvrir de la sauce d'assaisonnement.
— Décorer les haricots verts de cerfeuil en pluches – feuilles détachées délicatement de leur tige
— Piquer une écrevisse dans le dôme de haricots verts.
On peut bien sûr enrichir cette recette et y ajouter huîtres et palourdes pochées très rapidement dans leur eau.

Salade de moules au safran et aux cœurs de laitue

MARCHÉ POUR 4 PERSONNES

Ingrédients principaux
1 litre 1/2 de moules
1 échalote hachée
1/2 blanc de poireau
6 cl de fumet de poisson (*voir recette p. 69*)
3 cl de vin blanc sec

Ingrédients de la garniture
2 cœurs de laitue fraîche
2 tiges de céleri-branche
8 feuilles d'estragon
1/2 citron
1 cuillère à soupe de tomate concassée crue (*voir recette p. 330*)

Ingrédients de la sauce d'accompagnement
1 pincée de safran
1 cuillère à café de crème fraîche
1/2 échalote hachée
1 cuillère à café d'huile d'olive

Ustensiles de préparation et de présentation
1 grande casserole inoxydable et son couvercle
1 petite casserole
1 petit saladier
4 assiettes plates froides

1. *Préparation des légumes :*
Tailler en petits bâtonnets de **julienne**, au couteau à main, le 1/2 blanc de poireau des ingrédients principaux, les bran-

ches de céleri de la garniture et hacher grossièrement les feuilles d'estragon.

2. Dans la casserole, faire bouillir le vin blanc, l'échalote hachée, le blanc de poireau détaillé et le fumet de poisson. Y jeter les moules, couvrir et laisser cuire jusqu'à l'ouverture des coquilles.

3. Enlever les moules de leurs coquilles, **réserver** la cuisson.

4. *Préparation de la sauce d'accompagnement :*
— Dans la petite casserole, chauffer l'huile d'olive, ajouter l'échalote hachée, la crème, le safran et le jus de cuisson des moules **(2, 3)**.
— Faire bouillir 1 minute, y plonger les moules, mélanger et laisser refroidir dans la cuisson.

5. *Présentation :*
— Sur chaque assiette, disposer 1/2 cœur de laitue citronné, où vous dresserez les moules enrichies de leur sauce.
— Décorer de la **julienne** de céleri-branche, de l'estragon et de la tomate concassée, harmonieusement répartis.

Salade de poissons crus marinés

MARCHÉ POUR 4 PERSONNES

Ingrédients principaux
160 g de filet de poisson (saint-pierre, saumon, daurade ou bar)
3 cuillères à café d'huile minceur (*voir recette p. 124*)
1/2 échalote
10 g de poivre vert en grains
40 g de gingembre au vinaigre
1 cuillère à soupe d'airelles fraîches (ou en conserve « au naturel »)
1 citron
1 laitue
Sel, poivre

Ustensiles de préparation et de présentation
1 plat creux
4 assiettes plates

1. À l'aide d'un couteau fin et tranchant détailler le filet de poisson en fines escalopes presque transparentes.

2. Les disposer dans le plat creux et les recouvrir de sel, poivre, échalote hachée, poivre vert et d'huile minceur. Laisser mariner 15 minutes.

3. Tailler le gingembre en **julienne** (bâtonnets de 1 mm de section et 3 cm de longueur), peler le citron et tailler les pelures zestes en fine **julienne** (taille des aiguilles de pin), les ébouillanter et les refroidir aussitôt sous l'eau glacée.

4. *Présentation :*
— Préparer la laitue en chiffonnade, ciselée en lanières de la largeur d'un petit doigt.
— L'assaisonner de sel, poivre et du jus de 1/2 citron et la disposer au milieu des assiettes.

202

—Éparpiller sur la laitue le gingembre et le citron en **julienne** ainsi que les airelles.

—Disposer tout autour, tels des pétales de fleur épanouie, les fines escalopes de poisson cru mariné.

—Mettre les assiettes garnies dans le réfrigérateur, 15 minutes avant de servir.

Salade de crabe au pamplemousse

MARCHÉ POUR 4 PERSONNES

Ingrédients principaux
1 crabe « tourteau » de 800 g
200 g de haricots verts très fins
12 pointes d'asperge fraîches (ou de conserve)
1 pamplemousse
8 feuilles de batavia rouge ou blanche
1 cuillère à soupe de cerfeuil fraîchement haché
1 litre de nage (*voir recette p. 134*)

Sauce d'assaisonnement
Sauce homardière froide (*voir recette p. 136*)

Ustensiles de préparation et de présentation
1 casserole
1 saladier
4 assiettes plates

1. Laver soigneusement le crabe à l'eau fraîche. Le cuire 10 minutes à plein feu dans la nage bouillante.

2. Cuire à l'eau bouillante :
— les haricots verts « al dente » (*voir recette p. 59*).
— les pointes d'asperge, coupées à 4 cm de long – cuisson 3 à 5 minutes (*voir technique p. 59*).

3. Peler à vif le pamplemousse (*voir technique p. 181*), en détacher les quartiers et les détailler en petits cubes de 1/2 cm de côté.

4. Décortiquer le coffre et les pattes du crabe pour en extraire la chair.

5. Disposer la salade, lavée et essorée, dans le fond des assiettes, monter au centre, en forme de dôme, les haricots verts assaisonnés de sauce homardière froide et planter au sommet les asperges, pointes en l'air.

6. Émietter sur l'ensemble le crabe assaisonné de la même sauce et parsemer des dés de pamplemousse et du cerfeuil fraîchement haché.

Salade d'écrevisses de rivière

MARCHÉ POUR 4 PERSONNES

Ingrédients principaux
400 g de haricots verts très fins
12 pointes d'asperge fraîches (ou de conserve)
1 échalote hachée
50 g de salade rouge (trévise)
32 écrevisses
1 litre de nage (*voir recette p. 134*)

Ingrédients de finition
1 cuillère à soupe de légumes de la nage
1 cuillère à soupe de cerfeuil haché
4 écrevisses entières

Sauces d'assaisonnement
Sauce homardière froide (*voir recette p. 136*)
ou
Sauce rose (*voir recette p. 129*)
ou
Sauce vinaigrette minceur (*voir p. 125*)

Ustensiles de préparation et de présentation
1 casserole inoxydable
1 saladier
4 assiettes plates

1. Cuire 4 minutes à gros bouillons les écrevisses dans la nage ou simplement à l'eau salée.

En décortiquer les queues. (Conserver 4 écrevisses entières pour la décoration.)

2. Équeuter les haricots verts, les laver et les cuire « al dente » (*voir technique p. 59*). Si elles sont fraîches, cuire également les pointes d'asperge coupées à 4 cm de long – Cuisson de 3 à 5 minutes – (*voir technique p. 59*).

3. Assaisonner haricots et asperges dans le saladier avec l'échalote hachée et 6 cuillères à soupe de la sauce choisie.

4. Disposer la salade lavée et essorée, dans le fond des assiettes plates. Monter dessus, en dôme, les haricots verts et planter de-ci, de-là les pointes d'asperge.

5. Parsemer des queues d'écrevisse que l'on recouvre, à l'aide d'une cuillère à café, de sauce homardière ou sauce rose.

6. Décorer le dôme des légumes de la nage et du cerfeuil haché, déposer l'écrevisse entière « à cheval » sur la salade.

Salade de homard au caviar

MARCHÉ POUR 2 PERSONNES

Ingrédients principaux
1 litre 1/2 de nage ou court-bouillon (*voir recette p. 134*)
1 homard de 400 g vivant
180 g de haricots verts épluchés
12 pointes d'asperge fraîches (ou de conserve)
1/2 échalote hachée
20 g de caviar
30 g de salade rouge (trévise) ou de batavia

Ingrédients de finition
1 cuillère à soupe de légumes de la nage
Sauce homardière froide (*voir recette p. 136*)
1 cuillère à soupe de pluches de cerfeuil

Ustensiles de préparation et de présentation
2 casseroles inoxydables ⎰ 1 grande
1 bol ⎱ 1 petite
2 assiettes

1. Laver le homard à l'eau fraîche et le plonger dans la nage bouillante pendant 10 minutes.
2. L'en ressortir. Le décortiquer complètement, mais garder les pinces entières. Tronçonner la queue en huit médaillons.

3. *Préparation des légumes :*
— Éplucher les haricots, les cuire « al dente » (*voir technique p. 59*). Les égoutter.
— Si les asperges sont fraîches, les éplucher soigneusement et les cuire (*voir technique p. 60*).
Après cuisson, les égoutter et couper les pointes au couteau à 4 cm de longueur.

— Assaisonner séparément haricots et pointes d'asperge, de la sauce homardière agrémentée de l'échalote hachée.

— Éplucher, laver et essorer la salade rouge.

4. *Présentation :*

— Disposer la salade rouge au fond des assiettes.

— Dresser les haricots verts en forme de dôme.

— Piquer ce dôme des pointes d'asperge et des légumes de la nage.

— Disposer tout autour en couronne les médaillons de homard, les **napper** de la sauce homardière et répartir sur le dessus les grains de caviar.

— Dresser en haut du dôme, pointes en l'air, les pinces du crustacé.

Salade de cervelles d'agneau

MARCHÉ POUR 4 PERSONNES

Ingrédients principaux
2 cervelles d'agneau
200 g de concombres
10 g de cornichons hachés
10 g de câpres hachés
60 g de champignons de Paris
60 g de tomate concassée crue (*voir recette p. 330*)
1/2 botte de cresson lavée et équeutée
20 g d'oseille lavée et équeutée
20 g de salade verte (laitue) lavée et équeutée
2 cuillères à café de persil haché frais

Ingrédients de cuisson des cervelles
1/4 litre d'eau
4 cl de vinaigre
1 bouquet garni (*voir p. 99*)
Sel, poivre

Sauces d'assaisonnement
Sauce mayonnaise (*voir recette p. 126*)
Huile minceur (*voir recette p. 124*)
ou
Sauce orange (*voir recette p. 128*)

Ustensiles de préparation et de finition
1 casserole
4 assiettes plates

1. Laisser couler 1/4 d'heure l'eau fraîche du robinet sur les cervelles, pour en éliminer les dernières traces de sang.
2. Porter à ébullition les ingrédients de cuisson des cervelles.

3. Les plonger dedans, redonner un bouillon et les laisser refroidir dans cette eau de cuisson.

4. Éplucher les concombres à l'aide d'un couteau économe, les couper en 2 dans le sens de la longueur et enlever les petits pépins de l'intérieur à la cuillère à café.

5. Les couper en fines lamelles et les mettre à dégorger avec 20 g de sel pour en éliminer l'eau.

6. Préparer les légumes, oseille et laitue en chiffonnade, c'est-à-dire les ciseler, délicatement, en fines lanières larges d'un doigt ; effeuiller le cresson.

7. *Présentation :*

— Dresser la chiffonnade **(6)** sur les 4 assiettes.

— La parsemer des câpres, cornichons et concombres assaisonnés de la sauce orange ou huile minceur.

— Disposer en éventail, les cervelles tranchées en escalopes, les **napper** légèrement de la sauce mayonnaise.

— Terminer en éparpillant sur l'ensemble la **julienne** de champignons, la tomate concassée en petits dés et les 2 cuillères à café de persil fraîchement haché.

Salade de cerfeuil à l'aile de pigeon

MARCHÉ POUR 4 PERSONNES

Ingrédients principaux

2 petits pigeons
60 g de tomate concassée crue (*voir recette p. 330*)
1 artichaut (frais ou de conserve)
12 pointes d'asperge (fraîches ou de conserve)
30 g de grains de maïs (en conserve « au naturel »)
50 g de gros champignons de Paris
1 citron
40 g de cerfeuil en pluches
1/2 laitue
1/2 chicorée frisée
1 litre de fond de volaille (*recette p. 68*) ou bouillon de volaille en
   tablettes

Sauce d'assaisonnement

Huile minceur *(recette p. 124)*
ou
Sauce aigre-douce à l'oignon *(recette p. 127)*

Ustensiles de préparation et de présentation

2 casseroles
4 assiettes

Préparation et cuisson des pigeons :

1. Faire vider et brider les pigeons chez le volailler.

2. Mettre le fond de volaille à bouillir dans la casserole. Y cuire les pigeons 8 à 10 minutes à faibles bouillons. Ils doivent en sortir « rosés ».

3. Laisser refroidir et lever – découper – les ailes et les cuisses ; enlever la peau des ailes et en **escaloper** finement les filets.

Garder les cuisses telles quelles.

Préparation des légumes :

4. Si les asperges et l'artichaut sont frais, les cuire et les préparer selon les *techniques p. 60 et 144*. **Escaloper** le fond d'artichaut obtenu, en fines tranches.

5. Ciseler délicatement la laitue en chiffonnade (lanières de largeur d'un petit doigt) et hacher grossièrement la chicorée.

6. Tailler les champignons de Paris en **julienne** – bâtonnets de 3 cm de long sur 2 mm de section.

7. Peler le citron à l'aide d'un couteau économe et tailler les pelures ainsi obtenues en très fine **julienne** (grosseur d'une aiguille de pin).

Blanchir ces zestes 5 minutes.

Présentation :

8. Assaisonner de la sauce choisie la chiffonnade mixte, les pointes d'asperge et le fond d'artichaut **escalopé**.

9. Dresser la chiffonnade en dôme sur chaque assiette, ranger en couronne tout autour les fines tranches de fond d'artichaut. Planter de-ci, de-là les pointes d'asperge.

10. Au sommet du dôme, disposer la cuisse de pigeon, os en l'air, et ranger tout contre, en forme de turban, les filets de pigeon **escalopés**, salés et poivrés.

11. Parsemer le tout des **juliennes** de champignons et citron, des grains de maïs, pluches de cerfeuil et cubes de tomate fraîche concassée.

COQUILLAGES, CRUSTACÉS ET POISSONS

Huîtres au champagne

MARCHÉ POUR 2 PERSONNES

Ingrédients principaux
12 huîtres plates
12 cl de champagne
2 jaunes d'œufs
1 cuillère à café de crème
1 cuillère à café d'eau
Poivre

Ustensiles de préparation
2 petites casseroles inoxydables
1 petit fouet
1 plat ovale creux rempli de gros sel

1. *Préparation des huîtres :*
— Les ouvrir et décoller délicatement leur chair de la coquille concave à l'aide d'une lame de couteau ou d'une cuillère à soupe.
Réserver la chair et filtrer l'eau des huîtres au travers d'un linge étamine.
— Laver les coquilles concaves des huîtres, les caler sur un plat rempli de gros sel ou de petits graviers.
Réserver au chaud à l'entrée du four.

2. *Préparation de la sauce :*
— Verser le champagne dans une petite casserole, le faire bouillir et réduire des 3/4 de son volume. Laisser tiédir.
— Y ajouter les jaunes d'œufs, la crème et l'eau en opérant de la même façon que pour « monter » la sauce béarnaise. (*voir recette p. 138*). Tenir au tiède.

216

3. *Présentation :*

— Pocher les huîtres 30 secondes dans leur eau filtrée, les égoutter et les replacer dans leurs coquilles respectives.

— Reprendre la sauce **(2)** et y incorporer en fouettant l'eau de pochage des huîtres. Poivrer.

— Recouvrir chaque huître d'une cuillère à soupe de sauce champagne et passer 30 secondes à four très chaud pour donner une jolie couleur dorée.

Saint-Jacques et belons aux truffes

MARCHÉ POUR 2 PERSONNES

Ingrédients principaux

6 huîtres de Belon
6 coquilles Saint-Jacques
30 g de truffe en **julienne** (bâtonnets de 3 mm de section et 3 cm de longueur)
1 cuillère à café d'huile d'arachide

Ingrédients de la sauce d'accompagnement

1/2 cuillère à café de jus de truffe
1 cuillère à café de mousse de champignons (*voir recette p. 323*)
1 cuillère à café de crème fraîche
6 cl d'eau
6 g de poudre de lait écrémé
Poivre
20 g de carotte taillés
20 g de blanc de poireau taillés ⎫
20 g de champignons de Paris taillés ⎬ en très fine **julienne**
10 g de céleri-branche taillés ⎭

Ustensiles de préparation et de présentation

2 casseroles
1 linge étamine
1 petite écumoire
1 petite poêle antiadhésive
2 assiettes creuses

Préparation des coquillages :

1. Ouvrir les huîtres, les détacher de la coquille et garder leur eau que l'on filtre au travers d'un linge étamine.

2. Ouvrir les Saint-Jacques en passant un couteau à lame rigide le long de la coquille plate. Décoller la noix (partie blanche + corail) à l'aide d'une cuillère à soupe. Les laver à l'eau courante.

Préparation de la sauce :

3. Faire chauffer une petite casserole avec l'huile d'arachide, y faire revenir rapidement la **julienne** de truffe assaisonnée de poivre, ajouter la crème, le lait écrémé et le jus de truffe. Porter à ébullition pendant 2 minutes ; **réserver.**

4. Pocher les Saint-Jacques dans l'eau filtrée des huîtres, 2 minutes de chaque côté, les enlever et tenir au chaud. Les remplacer par les huîtres : pochage 20 secondes de chaque côté.

5. À la sauce ajouter la mousse de champignons et l'eau des huîtres qui va saler l'ensemble. Cette sauce doit être légère.

Présentation :

6. Dans le fond des assiettes creuses, disposer pêle-mêle huîtres et Saint-Jacques.

7. Recouvrir légèrement avec la sauce aux truffes et parsemer de la fine **julienne** de légumes assaisonnée et préalablement sautée, 2 minutes à sec, au dernier moment dans la petite poêle antiadhésive.

Homard, langouste ou écrevisses à la nage

MARCHÉ POUR 2 PERSONNES

Ingrédients principaux
1 homard vivant de 700 g
ou
1 langouste vivante de 700 g
ou
20 écrevisses de 60 g chacune environ
1 cuillère de persil haché frais

Nage court-bouillon de cuisson
(*Voir recette p. 134*)

Ustensiles de préparation et de présentation
1 grande casserole inoxydable
1 plat ovale ou
1 légumier

1. *Cuisson des crustacés :*
— Plonger le crustacé choisi dans la nage bouillante, en respectant bien les temps de cuisson

Homard 700 g
    ou   } 12 minutes
Langouste 700 g
Écrevisses   2 minutes

2. *Présentation :*
a) Homard et langouste
— Fendre en deux, dans le sens de la longueur, le homard ou la langouste.
— Détacher leurs 2 pinces et les décortiquer.

— Les débarrasser de la petite poche caillouteuse située dans la tête (*voir homard rôti au four p. 226*).

— Les dresser dans un plat creux ovale en les recouvrant des légumes de la nage.

— Les mouiller d'un quart de litre de court-bouillon de cuisson et les saupoudrer du persil haché.

b) Écrevisses

— Les dresser entières, en forme de pyramide dans un légumier.

— Les saupoudrer de persil haché.

3. *Service :*

On peut servir accompagné au choix :

— soit de sauce grelette (*voir recette p. 133*),

— soit de sauce homardière froide (*voir recette p. 136*).

Note de l'auteur :

Si l'on craint en mangeant les écrevisses d'y trouver le petit boyau noir qui leur parcourt l'épine dorsale : les mettre à tremper, 12 heures avant la cuisson, dans une solution d'eau additionnée de poudre de lait écrémé qui provoque un lavage du boyau.

Lorsque les écrevisses doivent être utilisées en queues décortiquées, il suffit, après les avoir débarrassées de leurs carapaces, de pincer entre le pouce et l'index ce même boyau cuit et de l'arracher dans le sens tête queue.

Il faut noter attentivement :

— qu'une surcuisson des crustacés entraîne un durcissement désagréable de leur chair,

— qu'une très légère sous-cuisson les rend plus moelleux,

— qu'un temps de repos entre la fin de cuisson et le dressage sur plat permet le relâchement de la chair et, par là même, l'attendrit.

Homard à la tomate fraîche et au pistou

MARCHÉ POUR 4 PERSONNES

Nage – Ingrédients principaux
2 homards vivants de 350 g chacun

Court-bouillon de cuisson
(voir recette nage p. 134)

Ingrédients de la sauce d'accompagnement
25 cl de fumet de poisson (*voir recette p. 69*)
ou vin blanc
25 g de poudre de lait écrémé
40 g de carotte épluchée et hachée grossièrement
40 g d'oignon épluché et haché grossièrement
1 cuillère à café de concentré de tomate
1 cuillère à soupe de fromage blanc 0 %
1 cuillère à soupe de crème fraîche
4 cuillères à soupe de tomate concassée crue (*voir recette p. 330*)
1/4 de cuillère à café de pistou (basilic) broyé avec 2 gouttes d'huile
   d'olive

Ustensiles de préparation et de présentation
2 casseroles inoxydables { 1 grande
                           { 1 petite
1 mixer
1 paire de ciseaux à découper
4 assiettes chaudes

1. *Cuisson du homard :*
—Plonger les homards entiers dans la nage bouillante pendant 5 minutes.
—Les y laisser tiédir le temps de préparer la sauce.

2. *Préparation de la sauce :*
— Délayer au fumet de poisson la poudre de lait écrémé.
— Y cuire les légumes (carotte et oignon) 20 minutes à couvert.
— Après cuisson, passer le tout au mixer, en y ayant ajouté la crème, le fromage blanc 0 % et le concentré de tomate.
— Faire chauffer ce mélange en y incorporant la tomate concassée crue et le pistou.
— Rectifier l'assaisonnement si besoin est et **réserver** au chaud.

3. *Présentation :*
— Détacher les 2 queues de homard et les décortiquer à l'aide d'une paire de ciseaux en sectionnant les anneaux qui en forment le dessous. Détacher et décortiquer également les 4 pinces.
— Après avoir retiré toute la partie charnue contenue dans les coffres – têtes – (cette chair servira à faire la sauce américaine, *voir recette p. 84*) pratiquer sur le dessus des 2 coffres, 2 entailles où l'on enfoncera, pointes en l'air, les pinces décortiquées.

4. *Service :*
— Présenter sur 2 assiettes chaudes en dressant délicatement les 2 coffres garnis de leurs pinces, suivis des queues tronçonnées en médaillons de 1/2 cm d'épaisseur, elles seules étant **nappées** de la sauce d'accompagnement **(2)**.

Homard au cresson

MARCHÉ POUR 2 PERSONNES

Ingrédients principaux
2 homards vivants de 350 g (ou 1 de 800 g), femelles de préférence, pour leurs œufs

Ingrédients de garniture
250 g de mousse de cresson (*voir recette p. 326*)

Nage – Court-bouillon de cuisson
1 litre 1/2 eau
5 dl vin blanc sec
50 g gros sel
1 bouquet garni (*voir p. 99*)   (*voir recette p. 134*)
1/2 carotte,
1/2 oignon en rondelles
20 grains de poivre

Ingrédients de la sauce d'accompagnement
2 cuillères à soupe de vin blanc sec
80 g de champignons de Paris émincés
1 échalote hachée
Sel, poivre
8 cl de fumet de poisson (*voir recette p. 69*)
1/2 cuillère à café d'estragon
1 cuillère 1/2 à café de fromage blanc 0 %
1 cuillère à café 1/2 crème fraîche (facultatif)

Ustensiles de préparation et de présentation
2 petites casseroles inoxydables
1 poêle antiadhésive
1 plat de service

1. *Cuisson du homard :*
—**Rompre les pinces du homard.**

— Les cuire 5 minutes au court-bouillon avec les œufs recueillis sous les femelles.

2. *Préparation de la sauce :*
— Faire réduire aux 3/4 2 cuillères à soupe de vin blanc sec, y jeter l'échalote hachée, les champignons, l'estragon, saler, poivrer.
— Laisser cuire à couvert 2 minutes puis ajouter la poudre de lait écrémé, délayée au fumet de poisson ; donner encore un bouillon et incorporer le fromage blanc 0 % et la crème.
— Ne plus faire bouillir et tenir au chaud – bain-marie – jusqu'à l'emploi.

3. *Présentation :*
— Décortiquer à cru les 2 queues de homard ; les assaisonner et les faire sauter sur leurs 2 faces, pendant 2 minutes seulement, dans une poêle enduite de 2 cuillères à café d'huile d'olive ou à sec dans un récipient antiadhésif.

4. *Service :*
— Verser la mousse de cresson dans le fond d'un plat chaud.
— Dresser les 2 queues de homard **nappées** de la sauce.
— Décorer des pinces décortiquées et égrener sur l'ensemble des œufs rougis par pochage.

N.B. Les coffres restants, encore garnis du corail et des intestins, serviront à élaborer la sauce américaine pour un autre emploi (*voir recette p. 84*).

Homard rôti au four

MARCHÉ POUR 2 PERSONNES

Ingrédients principaux
1 homard vivant de 700 g
1 litre 1/2 de nage ou court-bouillon (*voir recette p. 134*)

Ingrédients de la réduction de base ou fond de sauce
8 cl de vin blanc sec
60 g d'échalote hachée
2 cuillères à café d'estragon haché
2 cuillères à café de cerfeuil haché
1 cuillère à café de jus de citron
15 cl de sauce américaine (*voir recette p. 84*)
1 jaune d'œuf. Sel, poivre

Ingrédients des sauces à gratiner et d'accompagnement

A	B
les 3/4 de cette réduction + la moitié du homard + 160 g de fromage blanc 0 %	le 1/4 de cette réduction + la moitié du corail du homard + 30 g de fromage blanc 0 % (1 cuillère à soupe) + 1 cuillère à café de crème fraîche

Ustensiles de préparation et de présentation
1 casserole moyenne
2 petites casseroles à fond épais
1 plat ovale allant au four, 1 écumoire à manche, 1 fouet, 1 mixer,
  1 saucière

1. *Cuisson du homard :*
— Cuire 4 minutes le homard dans la nage bouillante.
— Retirer du feu et le laisser tiédir dedans 5 minutes.

2. *Préparation de la réduction de base ou fond de sauce :*
— Dans une casserole faire réduire les 15 cl de sauce américaine de la moitié de son volume.

— Dans l'autre casserole, faire réduire jusqu'à obtention d'une marmelade humide, le vin blanc, le jus de citron, l'estragon, le cerfeuil et l'échalote hachés, sel et poivre (il doit rester la valeur de 2 cuillères à soupe environ de marmelade).
— Retirer du feu, ajouter le jaune d'œuf en fouettant et la sauce américaine réduite, garder au chaud.

3. *Découpage du homard :*
— Sortir le homard de sa cuisson, le fendre en 2 dans le sens de la longueur, le débarrasser de la petite poche caillouteuse située dans le haut de la tête et recueillir dans un bol, à l'aide d'une cuillère à café la partie verte (intestins et corail) que l'on **réserve.**
— Détacher et décortiquer les 2 pinces du crustacé, les placer à plat à l'endroit du corail (coffre).

4. *Préparation des sauces A et B :*
— Passer au mixer le corail et les intestins recueillis.
Sauce A, sauce à gratiner : Prendre les 3/4 de la réduction de base **(2)**, y incorporer, à la fourchette, la moitié du corail et des intestins broyés et 160 g de fromage blanc maigre 0 %.
Sauce B, sauce d'accompagnement : Prendre le 1/4 restant de la réduction de base **(2)**, y incorporer à la fourchette la seconde moitié du corail et des intestins broyés, 2 cuillères à soupe de fromage blanc maigre 0 % et 1 cuillère à café de crème fraîche.

5. *Finition de la cuisson :*
— Ranger les 2 moitiés du homard dans un plat ovale allant au four et recouvert de 4 à 5 cuillères à soupe d'eau pour éviter son dessèchement pendant la cuisson.
— **Napper** chaque moitié de la sauce A et passer à four très chaud (250 °C, thermostat 9-10).

6. *Service :* Présenter le plat à sa sortie du four accompagné de la sauce B dont on fouette, au dernier moment, les éléments ensemble pour les alléger.

Navarin de homard

MARCHÉ POUR 2 PERSONNES

Ingrédients principaux

1 homard vivant de 700 g, femelle de préférence pour ses œufs
1 litre 1/2 de nage ou court-bouillon (*voir recette p. 134*).
1 cuillère à café d'armagnac
2 cuillères à soupe de vin blanc sec

Ingrédients de garniture

60 g mini-navets } obtenus à partir de légumes normaux, taillés en
60 g mini-carottes } gros bâtonnets ou éventuellement **tournés**
50 g de petits oignons « grelots », soit 8 pièces (secs ou nouveaux)
50 g de gros champignons coupés en 8 ou 8 petits champignons dits
   « boutons »
30 g de petits pois

Eau de cuisson des légumes

1/4 de litre d'eau
4 g sel
1 cuillère à café rase d'aspartam

Ingrédients de la sauce d'accompagnement

12 cl de sauce de homard à la tomate fraîche et au pistou
(*voir recette p. 222*).

Ustensiles de préparation et de présentation

2 petites casseroles inoxydables
1 poêle antiadhésive
2 assiettes de service chaudes

1. *Préparation et cuisson des légumes :*
— Éplucher les légumes des ingrédients de garniture.
— Cuire pendant 10 minutes dans l'eau de cuisson spéciale
des légumes les navets, carottes et petits oignons.

— Mettre les petits pois à cuire 2 minutes avant la fin de cette cuisson.
— Laisser évaporer le restant d'eau, devenu légèrement sirupeux au contact de l'aspartam. Au terme de la cuisson, les légumes s'enrobent d'une couche luisante.
— Les tenir au chaud.

2. *Préparation et cuisson du homard :*
— Rompre les pinces du homard, les cuire dans la nage-court-bouillon avec les œufs recueillis sous la femelle (*voir homard au cresson p. 224*).
3. Détacher la queue, fendre le coffre en deux et enlever la partie verte – corail et intestins – que l'on **réserve** sans oublier de jeter la poche pierreuse située près de la tête du crustacé.
4. Faire revenir à sec, dans une poêle antiadhésive queue, coffre, champignons, le tout assaisonné de sel et poivre. Laisser rougir les carapaces et cuire 15 minutes. Après quoi, ajouter 1 cuillère à café d'armagnac, 2 cuillères à soupe de vin blanc sec, et couvrir. Au contact de la chaleur l'alcool des 2 vins s'évapore progressivement en transmettant, au passage, tout son parfum à la chair du crustacé.

5. *Présentation :*
— Présenter dans la casserole de cuisson **(4)**, ou sur assiette, la queue du homard décortiquée et tronçonnée en gros cubes de 2 cm de côté.
— Recouvrir le tout de 12 cl de sauce homard au pistou (*voir recette p. 222*). Ajouter les légumes glacés au sucre et, enfin, les œufs égrenés qui viendront rehausser de leur couleur incarnat les tons pastel de l'ensemble.

Gâteau de homard
aux carottes fondantes

MARCHÉ POUR 6 PERSONNES

FARCE

Ingrédients de la farce

160 g de chair de homard cru ou de saumon
1 œuf entier
6 g de sel, 1 pointe de poivre
12 cl de lait écrémé

Ingrédients de garniture des gâteaux

6 coquilles Saint-Jacques
150 g de chair de homard
30 g de truffe en petits bâtonnets (grosse julienne)
2 cuillères à soupe de sauce américaine (*voir recette p. 84*)

Ingrédients de la sauce

1 cuillère à soupe de mousse de carottes (*voir recette p. 321*)
12 cl de sauce américaine (*voir recette p. 84*)
24 cl d'eau
24 g de poudre de lait écrémé
1 cuillère à café de porto
1/2 cuillère à café d'estragon haché
450 g de carottes
1/2 litre d'eau
3 cuillères à café rases d'aspartam
1 cuillère à café de beurre (facultatif)
6 lamelles de truffe

Ingrédient de cuisson

20 cl de nage (*voir recette p. 134*)

Ustensiles de préparation et de présentation

1 casserole moyenne et son couvercle
1 grande casserole ronde et son couvercle.

230

1 grille à pieds de même dimension
1 spatule en bois, 1 mixer
12 feuilles de papier aluminium 8 cm x 8 cm
6 assiettes plates chaudes

Préparation de la farce et de la garniture :

1. Broyer au mixer les 100 g de chair de homard ou de saumon (2 minutes). Ajouter le sel, le poivre et l'œuf. Rebroyer 1 minute puis incorporer le lait écrémé. Réserver au frais.

2. Dans la nage frémissante pocher 30 secondes les 6 coquilles Saint-Jacques puis, 2 minutes, les 150 g de chair de homard. Égoutter ; couper le tout en dés de 1 cm de côté et laisser refroidir.

3. Faire bouillir et réduire de moitié la sauce américaine. Laisser refroidir.

4. Mélanger entre eux tous les éléments de la farce et de la garniture à l'aide d'une spatule en bois ou d'une cuillère : la farce elle-même, les dés de poisson, la sauce américaine et les bâtonnets de truffe.

5. Sur 6 feuilles de papier aluminium, confectionner avec ce mélange 6 galettes de 10 cm de diamètre et de 1 cm 1/2 d'épaisseur. Recouvrir des 6 autres feuilles de papier aluminium.

Confection de la sauce :

6. Peler et couper les 450 g de carottes en fines rondelles. Les cuire, à couvert, 20 minutes, dans une casserole avec le 1/2 litre d'eau, les 3 cuillères à café rases d'aspartam et la cuillère à café de beurre (facultatif). Au terme de la cuisson, l'eau doit s'être complètement évaporée.

7. Broyer, au mixer, la mousse de carottes, l'estragon, le porto et la sauce américaine. **Détendre** avec le lait écrémé et reverser le tout sur les carottes en rondelles **(6)**. Vérifier l'assaisonnement.

Cuisson des gâteaux à la vapeur :

8. Dans le fond d'une grande casserole plate pouvant contenir les 6 gâteaux, verser les 20 cl de nage, poser dessus une grille ronde à pieds de la taille de la casserole, sur laquelle on range les gâteaux dans leur habit de papier.

9. Les cuire à couvert 3 minutes de chaque côté, ils vont gonfler et devenir très moelleux.

Présentation :

10. Recouvrir le fond des assiettes de la sauce aux rondelles de carottes **(7)**, déshabiller les gâteaux, les poser délicatement sur la sauce. Les décorer d'une lamelle de truffe.

Carrelet au cidre

MARCHÉ POUR 3 PERSONNES

Ingrédient principal
1 carrelet de 600 g

Ingrédients de cuisson
1 cuillère à café d'estragon haché
1 cuillère à café d'échalote hachée
12 cl de fumet de poisson (*voir recette p. 69*)
12 cl de cidre
1 cuillère à soupe de mousse de champignons (*voir recette p. 323*)
Sel, poivre

Ingrédients de garniture
1 cuillère à soupe de tomate concassée crue (*voir recette p. 330*)
1 pomme fruit
2 cuillères à soupe de jus de citron

Ustensiles de préparation et de présentation
1 plat creux ovale allant au four
1 spatule

1. Ébarber, écailler et vider le carrelet.

2. Parsemer le fond du plat d'estragon et échalote hachés. Y déposer le poisson assaisonné de sel et poivre. Verser autour de la mousse de champignons mélangée au cidre et au fumet de poisson.

3. Mettre à four très chaud (250 °C, thermostat 9), 15 minutes, couvert d'une feuille d'aluminium. Arroser en cours de cuisson.

4. Pendant ce temps éplucher, évider et tailler la pomme en bâtonnets de 3 cm de longueur et de 1,5 mm d'épaisseur. Les passer au jus de citron et les éparpiller dans le plat tout autour du carrelet, 7 minutes avant la fin de cuisson.

5. Enlever le poisson du plat à l'aide d'une spatule. En ôter la peau et lever les filets, les remettre dans le plat, saler, poivrer, les parsemer de la tomate fraîche concassée avant de servir.

Escalope de saumon à l'oseille

MARCHÉ POUR 4 PERSONNES

Ingrédients principaux
1 morceau de filet de saumon de 250 g environ

Ingrédients de la sauce d'accompagnement

A {
1 cuillère à soupe de vermouth-noilly
2 cuillères à soupe de 1/2 glace de viande (*voir recette p. 67*)
12 cl de fumet de poisson (*voir recette p. 69*)
1/2 échalote hachée
50 g de champignons de Paris coupés en 4

B {
18 cl de fumet de poisson (*voir recette p. 69*)
1 cuillère à soupe de poudre de lait écrémé
1 cuillère à soupe de mousse de champignon (*voir recette p. 323*)
1 cuillère à café de crème fraîche
30 g d'oseille fraîche

Ustensiles de préparation et de présentation
8 feuilles de papier aluminium 12 cm × 12 cm
1 couteau batte
1 casserole inoxydable
1 mixer
1 poêle antiadhésive
4 assiettes plates chaudes

1. *Préparation des escalopes de saumon :*
— Trancher en biais le filet de saumon pour obtenir 4 escalopes fines de 60 g environ chacune.
— Pour les agrandir, les enfermer individuellement entre 2 feuilles de papier aluminium, les aplatir à l'aide du plat d'un couteau batte.

2. *Préparation de la sauce :*
a) Dans la casserole mettre à réduire tout doucement, de la moitié de leur volume, les 12 cl de fumet de poisson, le

vermouth-noilly, la 1/2 glace de viande accompagnés de l'échalote hachée et des champignons de Paris (A).

b) La réduction faite, y ajouter la cuillère à soupe de poudre de lait écrémé délayée dans les 18 cl de fumet de poisson (B). Porter à ébullition 3 minutes. Pendant ce temps laver, équeuter et ciseler en fines lanières l'oseille fraîche.

c) Dans le mixer, broyer les préparations A et B, auxquelles on a ajouté la cuillère de crème fraîche.

Verser le tout dans la casserole. Ajouter l'oseille crue et laisser frémir sur le feu, pendant 5 minutes (cette dernière opération doit s'effectuer au moment de servir). Vérifier l'assaisonnement.

3. *Cuisson des escalopes :*

— Assaisonner les escalopes de saumon de sel et poivre. Faire chauffer la poêle antiadhésive, y déposer les escalopes que l'on saisit 10 secondes de chaque côté.

4. *Présentation :*

— **Napper** de sauce très chaude (c) le fond des quatre assiettes, y déposer les 4 escalopes sautées.

Servir immédiatement.

Truites en papillote à l'aneth et au citron

MARCHÉ POUR 4 PERSONNES

Ingrédients principaux
4 truites de 180 g à 200 g chacune

Ingrédients de garniture
2 cuillères à café d'huile d'olive
1 échalote hachée
1 cuillère à soupe de vermouth
6 cl de fumet de poisson (*voir recette p. 69*)
4 branches d'aneth ou de fenouil frais
1 citron, sel, poivre

Ustensiles de préparation et de présentation
1 paire de ciseaux
4 feuilles de papier aluminium découpées en rond, diamètre 30 cm
4 assiettes plates chaudes

1. Ébarber, vider, laver et éponger soigneusement les truites.

2. Assaisonner l'intérieur de sel et poivre et les fourrer de branches d'aneth (ou de fenouil).

3. Modeler chaque feuille de papier aluminium en forme de barquette ovale à bord relevé, y déposer la truite assaison-née de l'échalote hachée, arrosée de vermouth, de fumet de poisson, d'huile d'olive et recouverte des rondelles du citron préalablement tranché et pelé à vif (*voir technique p. 52*).

4. Rabattre le papier sur lui-même, en pincer les bords et lui donner la forme d'un chausson aux pommes.

5. Ranger ces papillotes sur un plat ovale allant au four. Cuire à four chaud (240 °C, thermostat 8) pendant 8 minutes.

6. Servir la papillote sur assiette en incisant légèrement le pourtour au ciseau, pour en faciliter l'ouverture au convive.

Merlan à la julienne de légumes

MARCHÉ POUR 2 PERSONNES

Ingrédients principaux
2 merlans de 220 g chacun

Ingrédients de la farce
50 g de carotte
50 g de gros champignons de Paris ⎫ épluchés
25 g de céleri-rave ⎭
4 g de sel
1 pointe de poivre et d'estragon haché
1 cuillère à café d'huile d'olive

Ingrédients de la sauce
25 g de carotte
25 g de champignons de Paris
10 g de céleri
1/2 cuillère à café de persil haché
15 cl de fumet de poisson (*voir recette p. 69*)
10 g de lait en poudre écrémé
4 g de sel, 1 pointe de poivre
1 cuillère à café de crème fraîche (facultatif)
1/2 cuillère à café de porto

Ingrédients de cuisson des poissons
6 cl de fumet de poisson (*voir recette p. 69*)
1/2 échalote hachée

Ustensiles de préparation et de présentation
1 paire de ciseaux
1 plat ovale en fonte émaillée
1 mouli-julienne
2 casseroles
2 assiettes chaudes

237

Préparation des merlans :

1. Ébarber et vider les merlans par les ouïes.

2. Les désosser (ou désarêter) : inciser avec un couteau souple tout le long de l'épine dorsale en dégageant les filets. À l'aide de ciseaux, couper l'arête près de la queue et de la tête, par l'incision, la détacher. Le merlan forme alors une poche en portefeuille.

Préparation de la farce julienne de légumes :

3. Râper en **julienne** – petits bâtonnets de 2 mm de section et 4 cm de longueur – carotte et céleri, en les passant au mouli-julienne pourvu de la grille adaptée à cet usage. Les champignons, à chair trop élastique, sont taillés au couteau à main en petits bâtonnets de la même taille.

4. – Dans la première casserole, enduite d'huile d'olive, faire revenir successivement, dans l'ordre et à 3 minutes d'intervalle : carotte, céleri, champignons (la carotte cuira environ 9 minutes, le céleri 6 minutes et les champignons 3 minutes).
— Saler, poivrer, couvrir et laisser étuver 10 autres minutes. Ainsi les légumes seront « al dente », encore un peu fermes sous la dent et conserveront toute leur personnalité.
— Ajouter l'estragon et laisser refroidir.

5. *Préparation de la sauce :*
— Dans l'autre casserole, mettre à cuire, pendant 30 minutes, dans le lait écrémé, délayé au fumet de poisson, carotte, céleri, champignons de Paris grossièrement hachés.
— Après cuisson, broyer le tout au mixer en y ayant ajouté la cuillère de crème (facultatif).
— Remettre au chaud avec 1/3 du volume de **julienne** de légumes **(3, 4)** et la 1/2 cuillère à café de porto.

6. *Cuisson des merlans :*
— Assaisonner l'intérieur des merlans de sel et poivre, puis les farcir à la cuillère des 2/3 de la **julienne** de légumes restante **(3, 4)**.

— Poser les merlans sur le plat ovale tapissé de l'échalote hachée, ajouter les 6 cl de fumet de poisson et cuire à four très chaud (250 °C, thermostat 9) pendant 8 minutes, en les arrosant souvent.

7. *Présentation :*
— Égoutter les merlans, les dresser sur les assiettes chaudes, les **napper** confortablement de la sauce et saupoudrer de persil haché frais.

Dorade cuite sur litière

MARCHÉ POUR 2 PERSONNES

Ingrédient principal
1 dorade écaillée et vidée de 500 g

Ingrédients de garniture
70 g de tomate concassée crue (*voir recette p. 330*)
1/2 blanc de poireau
1/2 oignon
1/4 gousse d'ail hachée
40 g de carottes
30 g de champignons de Paris
3 g d'échalote
1 branche de thym
1/2 feuille de laurier
Sel, poivre
1 cuillère à café d'huile d'olive
10 cl de fumet de poisson (*voir recette p. 69*) (ou moitié vin blanc, moitié eau)
1 cuillère à café de crème fraîche (facultatif)
1/2 cuillère à café de persil haché frais

Ustensiles de préparation
1 plat ovale allant au four
1 petite passoire
1 mixer

1. Faire revenir dans un plat ovale enduit d'une cuillère à café d'huile d'olive, carottes, oignon, champignons, poireau (détaillés en dés de 1/2 cm d'épaisseur), échalote, ail, thym, laurier.
Cuire doucement sur le feu ces légumes en les retournant de temps en temps à l'aide d'une fourchette. Ils doivent rester légèrement fermes, « al dente ».

2. Y ajouter le fumet de poisson, la tomate concassée crue et disposer la dorade sur cette litière.

3. Mettre à cuire à four chaud 20 minutes (240 °C, thermostat 8). Pendant la cuisson arroser 3 ou 4 fois le poisson du jus de braisage.

4. Sortir du four et tenir la dorade au chaud. Recueillir le jus de cuisson **(1, 2, 3)** au travers d'une passoire et le faire bouillir à gros bouillons afin de le réduire de 1/4 de volume. Puis le passer au mixer en ajoutant la crème (facultatif).

5. Dépouiller le poisson de sa peau, l'assaisonner, le dresser dans son plat de cuisson et le parsemer pêle-mêle – pour souligner la rusticité de cette recette – des légumes récupérés dans la passoire.

Mettre quelques secondes à four chaud, accompagné de la sauce de cuisson **(4)**.

Remarque :

La dorade et le saint-pierre sont des poissons plats comme la sole ou le turbot... mais ne possèdent que deux filets comme les poissons ronds (rougets, maquereaux, lotte, etc.).

Chapon de mer farci

MARCHÉ POUR 4 PERSONNES

Ingrédient principal
1 chapon (rascasse) de 1 kg

Ingrédients de la farce
1 cuillère à soupe d'oignon haché
3 cuillères à soupe de champignons de Paris en petits dés
1 cuillère à café d'estragon haché
1 cuillère à café de cerfeuil haché
1 cuillère à café d'huile d'olive
Le foie du chapon

Ingrédients de cuisson
25 cl de fumet de poisson (*voir recette p. 69*)
12 cl de vin blanc sec
1 cuillère à soupe d'échalote hachée
1 cuillère à café de cerfeuil haché

Ingrédients de liaison de la sauce
2 cuillères à soupe de tomate concassée crue *(voir recette p. 330)*
1 cuillère à soupe de mousse de champignons (*voir recette p. 323*)
6 cl de lait écrémé
1 cuillère à café de crème (facultatif)

Ustensiles de préparation et de présentation
1 plat creux allant au four
2 casseroles à fond épais
1 cuillère en bois
1 écumoire
1 mixer

1. Ébarber, écailler, laver et vider le chapon.
Garder son foie.

Préparation de la farce :

2. Faire chauffer l'huile d'olive dans la casserole à fond épais. Y faire revenir, sans colorer, l'oignon (2 minutes), les dés de champignons, cerfeuil, estragon (2 autres minutes). Incorporer le foie du chapon, haché finement au couteau. Mélanger le tout, assaisonner, laisser cuire 1 minute et **réserver** au frais.

3. Assaisonner intérieurement le poisson de sel et poivre, le garnir de la farce, lui refermer le ventre en le cousant.

Cuisson du poisson :

4. Parsemer le plat de cuisson de l'échalote hachée, poser dessus le chapon farci, arroser du fumet de poisson et du vin blanc.
Braiser à four moyen (220 °C, thermostat 7) 40 minutes.
Arroser fréquemment.

5. Au terme de la cuisson, enlever le chapon à l'aide d'une écumoire. Le tenir au chaud.

6. *Préparation de la sauce :*
— Broyer au mixer la mousse de champignon, le lait écrémé, la crème (facultatif) et **détendre** avec la cuisson du poisson que l'on aura préalablement réduite de 1/3 de son volume.
— Remettre à chauffer dans le plat de cuisson en ajoutant la tomate concassée.
— Vérifier l'assaisonnement.

7. *Présentation :*
— Enlever la peau du chapon, pour lever les filets.
— Les disposer sur les 4 assiettes.
— Les **napper** légèrement de la sauce bien chaude ; ajouter tout autour la farce à la cuillère.
— Parsemer du cerfeuil fraîchement haché.
— Servir le restant de sauce en saucière.

Sabayon de saint-pierre en infusion de poivre

MARCHÉ POUR 4 PERSONNES

Ingrédients principaux
1 saint-pierre de 1 kg
18 cl de fumet de poisson (*voir recette p. 69*)
1 cuillère à café de poivre « mignonnette »
1/2 échalote hachée
Sel, poivre.

Ingrédients de la sauce sabayon
2 jaunes d'œufs
3 cuillères à soupe d'eau

Ustensiles de préparation et de présentation
1 casserole
1 passoire-étamine
1 petit saladier
1 petit fouet
1 plat creux allant au four
4 assiettes plates chaudes

1. Ébarber, gratter et vider le poisson.

2. Éparpiller l'échalote hachée dans le fond du plat, poser le saint-pierre dessus, assaisonner de sel et poivre et mouiller avec le fumet de poisson.

3. Recouvrir d'une feuille de papier aluminium et braiser à four moyen (220 °C, thermostat 7) pendant 20 minutes. Arroser souvent le poisson de son jus en cours de cuisson.

4. Ôter le saint-pierre de son plat, passer le jus de braisage **(2, 3)** à la passoire-étamine, ajouter le poivre « mignonnette », faire bouillir et réduire de 1/3 de son volume.

5. Pendant ce temps, enlever la peau du poisson, détacher et lever ses filets. Conserver au chaud.

6. Dans le saladier mettre les jaunes d'œufs et l'eau froide et fouetter jusqu'à ce que l'ensemble augmente de volume et devienne mousseux.

7. Verser ce mélange en fouettant dans l'infusion de poivre bouillante **(4)**.

Napper aussitôt les filets de saint-pierre que l'on aura dressés sur les assiettes chaudes.

Bar aux algues

MARCHÉ POUR 2 PERSONNES

Ingrédients principaux
1 bar (loup) de 800 g
2 grosses poignées d'algues (varech)
10 cl d'eau
Sel, poivre

Sauce d'accompagnement
Sauce vierge (*voir recette p. 137*)

Ingrédients de garniture
2 écrevisses entières (facultatif)
Mousse de cresson (*voir recette p. 326*)

Ustensiles de préparation et de présentation
1 cocotte ovale et son couvercle
2 assiettes chaudes

1. *Préparation du poisson :*
— Vider le poisson et enlever sa nageoire dorsale.
— Ne pas l'écailler, ses écailles retiennent une sorte de limon qui, à la cuisson, sous les algues, va exacerber son parfum de mer et, après cuisson, permettre de mieux le dépouiller.
— Dans le fond de la cocotte, faire une litière de la moitié des algues et verser l'eau ; y coucher le bar, assaisonné à l'intérieur, et les 2 écrevisses (facultatif).
— Recouvrir du restant d'algues.
— Coiffer du couvercle et mettre à cuire à plein feu pendant 20 minutes.
2. Entre-temps, mettre à tiédir au bain-marie la sauce vierge.

3. Au terme de la cuisson, présenter aux convives le bar dans sa cocotte de cuisson, en soulevant le couvercle pour leur faire humer ces effluves de mer.

4. *Pour servir :*
— Dépouiller le poisson de sa peau, revêtue d'écailles, elle s'enlève comme une couverture.
— Lever les filets, les saler légèrement, les poivrer et les dresser sur assiette chaude, préalablement **nappée** de 4 cuillères à soupe de sauce vierge.
— Flanquer le poisson de mousse de cresson, rehaussée, pour le contraste des couleurs, de l'écrevisse rougie à la cuisson.

Note de l'auteur :
— C'est là, à mon sens, une façon heureuse de cuire le poisson de mer ; il y gagne une richesse infinie de parfum.
— Pour épauler ce parfum et révéler toute sa fraîcheur, le poivre gris ou noir gagne à être remplacé par le poivre vert lyophilisé et broyé au moulin.

Turbotin clouté d'anchois
à la vapeur de safran

MARCHÉ POUR 4 PERSONNES

Ingrédients principaux
1 turbotin de 1 kg 200
2 anchois au sel

Ingrédients de cuisson
1 litre de fumet de poisson (*voir recette p. 69*)
1 pincée de safran

Ingrédients de liaison et de garniture de la sauce
1 cuillère à soupe de mousse de champignons (*voir recette p. 323*)
1 cuillère à café de crème fraîche
4 belles feuilles d'épinard
1 cuillère à soupe de tomate concassée crue (facultatif) (*voir p. 330*)

Ustensiles de préparation et de présentation
1 turbotière avec sa grille de cuisson et son couvercle
1 petite casserole
1 mixer
1 spatule en acier
4 assiettes plates chaudes

Préparation et cuisson du poisson :

1. Faire **ébarber,** vider et enlever les 2 peaux du turbotin par le poissonnier.

2. Mettre les anchois à dessaler 10 minutes à l'eau courante. Détacher leurs filets à l'aide d'un petit couteau, en incisant le long de l'arête centrale. Couper les filets en 2 dans le sens de la longueur puis de la largeur : on aura ainsi obtenu 16 petits morceaux d'anchois.

3. « Larder » les 2 côtés du turbotin, en faisant pénétrer dans sa chair les morceaux d'anchois à l'aide de la pointe d'un couteau. Assaisonner de poivre et de très peu de sel (les anchois sont déjà salés).

4. Dans la turbotière, verser le fumet de poisson, assaisonné au safran – seulement jusqu'au niveau de la grille. Poser le turbotin sur la grille, à fleur du fumet pour que le poisson ne poche pas mais cuise à la vapeur.

Recouvrir la turbotière du couvercle et cuire ainsi 35 minutes à feu moyen.

Au terme de cette cuisson, garder le turbotin au chaud.

Préparation de la sauce :

5. Verser 25 cl du fumet de poisson dans le mixer avec la mousse de champignons et la crème fraîche, puis les broyer. Remettre à chauffer dans une casserole.

6. Équeuter et laver les épinards. Ciseler leurs feuilles en grosses lanières. Les pocher à l'eau salée bouillante 1 minute. Les égoutter et les ajouter à la sauce **(5)**.

Service :

7. À l'aide d'une spatule en acier ou d'un couteau à lame large et flexible, lever les filets du turbotin maintenu au chaud.

8. Napper le fond des assiettes de la sauce. Poser dessus les filets de turbotin et parsemer de la tomate concassée crue (facultatif).

Court-bouillon de tous les poissons aux légumes nouveaux

MARCHÉ POUR 4 PERSONNES

Ingrédients principaux

12 huîtres (plates ou creuses)
16 moules
120 g de lotte
120 g de filets de sole
4 coquilles Saint-Jacques
100 g de chair de homard ou de crabe (en boîte)

Ingrédients de cuisson

1 échalote hachée
3 cl de vin blanc sec
12 cl de fumet de poisson (*voir recette p. 69*)
6 cl de lait écrémé

Ingrédients de sauce et de garniture

6 cl de sauce américaine (*voir recette p. 84*)
1 cuillère à soupe de mousse de champignons (*voir recette p. 323*)
8 belles feuilles d'épinard ⎫
60 g de carottes ⎪
60 g de navets ⎬ épluchés
30 g de haricots verts ⎪
30 g de petits pois ⎪
Pointes d'asperge fraîches ⎭ (facultatif)

Ustensiles de préparation et de présentation

2 petites casseroles
1 casserole plate et large
1 écumoire
1 mixer
4 assiettes creuses chaudes

1. *Préparation des poissons :*
— Gratter et laver soigneusement les moules.
— Ouvrir les huîtres, décoller complètement la noix de chair de la coquille, pratiquer de même pour les Saint-Jacques.
— Réserver l'eau des huîtres et des Saint-Jacques ; la filtrer au travers d'un linge étamine.
— Couper la lotte en 8 petits cubes.
— Détailler la sole en 8 mini-filets.
— Couper le homard en dés de 1 cm de section.
— Fendre les Saint-Jacques en 2 dans le sens de l'épaisseur.

2. *Cuisson des légumes :*
— Dans la première petite casserole, cuire à l'eau bouillante salée, 10 minutes, les carottes et navets taillés en gros bâtonnets puis 5 minutes les asperges, les haricots verts et petits pois. Tenir au chaud dans l'eau de cuisson.
— Ébouillanter 1 minute les feuilles d'épinard équeutées et lavées.

3. *Cuisson des poissons :*
a) Dans la deuxième petite casserole, faire bouillir le vin blanc, le fumet de poisson et l'échalote hachée. Y jeter les moules entières et cuire à couvert 6 minutes jusqu'à l'ouverture des coquilles.
b) Récupérer la cuisson (*a*) des moules, la passer à l'étamine, y ajouter l'eau des huîtres et des Saint-Jacques, et le lait écrémé. Délayer, Poivrer.
c) Pocher dans cette nouvelle cuisson (*b*) les dés de homard et de lotte, les filets de sole et les Saint-Jacques (temps de cuisson 1 minute 1/2). Ajouter les huîtres (temps de cuisson 15 secondes de chaque côté), les moules décortiquées. Retirer immédiatement du feu.

4. Broyer ensemble au mixer la mousse de champignons, la sauce américaine et la cuisson (**3**) des poissons. Vérifier l'assaisonnement.

5. *Présentation :*
— Habiller le fond des assiettes des feuilles d'épinard. Dresser, sur cette litière, les poissons pêle-mêle, recouvrir de la sauce légère et décorer d'une jonchée de tous les légumes.

Le grand pot-au-feu de la mer

MARCHÉ POUR 4 PERSONNES

Ingrédients principaux

1 bar (loup) de 400 g
4 petits rougets de roche de 100 g chacun
4 tranches de lotte de 50 g chacune
8 langoustines
16 moules moyennes
4 huîtres plates (facultatif)
Sel, poivre

Ingrédients des différentes cuissons des poissons

30 cl de fumet de poisson (*voir recette p. 69*)
30 cl de nage (*voir recette p. 134*)
6 cl de vin rouge
6 cl de vin blanc sec
100 g de persil frais en branche
1 échalote hachée
1 petit bouquet garni (*voir p. 99*)

Ingrédients de la garniture de légumes

8 mini-navets
8 mini-carottes soit 100 g net } obtenus à partir de légumes normaux
de chaque } taillés en gros bâtonnets ou
12 pointes d'asperge } éventuellement tournés
4 petits poireaux
1/2 concombre divisé en 4 tronçons cannelés

Sauces d'accompagnement

18 cl de sauce vierge (*voir recette p. 137*)
18 cl de sabayon au vin rouge (*recette p. 152*)
18 cl de sauce au persil (*voir recette p. 145*)

Ustensiles de préparation et de présentation
1 plat creux ovale allant au four 30 cm X 10 cm
4 petites casseroles
1 casserole moyenne, 1 écumoire
4 grandes assiettes chaudes
3 saucières

1. Cuire les légumes de la garniture dans de l'eau bouillante salée, carottes, navets, poireaux : 10 minutes ; asperges, concombres : 5 minutes. Tenir au chaud dans la cuisson.

2. *Préparation et cuisson des poissons :*
a) Écailler, vider et laver le bar et les rougets – les rougets peuvent conserver leur foie –, gratter et laver soigneusement les moules.
b) Répandre l'échalote hachée au fond du plat creux et l'habiller d'une litière de persil en branche. Y coucher le bar, l'assaisonner de sel et poivre et le recouvrir de persil. Mouiller de 2 louches (12 cl) de fumet de poisson. Cuire couvert, à four moyen (220 °C, thermostat 7), 12 minutes.
c) Dans la seconde casserole, faire bouillir et réduire 5 minutes, 6 cl de vin rouge, 12 cl de fumet de poisson, un bouquet garni et 4 grains de poivre. Y pocher les tranches de lotte 1 minute, retirer du feu et laisser le poisson dans sa cuisson.
d) Puis pocher les langoustines 1 minute 1/2 dans les 30 cl de nage bouillante. Les égoutter. Puis y pocher les rougets pendant 4 minutes.
e) Dans une autre casserole, faire bouillir 6 cl de vin blanc sec, 6 cl de fumet de poisson et l'échalote hachée. Y jeter les moules entières. Poivrer et cuire à couvert 6 minutes environ jusqu'à l'ouverture des coquilles.
Retirer alors du feu et les débarrasser de leur coquille.
f) Pocher les huîtres dans leur eau frémissante. Garder au chaud dans la cuisson (facultatif).
3. Préparer les 3 sauces d'accompagnement.

4. *Présentation :*
— Sur chaque grande assiette, disposer les poissons en couronne de la façon suivante :

1 rouget	
1 morceau de lotte	Laisser entre chaque sorte de poisson des sillons que vous comblerez à l'aide des légumes, en jouant avec leurs couleurs.
4 moules	
1 filet de bar	
2 langoustines	
1 huître	

5. *Mode d'emploi des sauces :*
Recouvrir :
— la lotte, de sauce sabayon au vin rouge,
— le bar, de sauce au persil,
— le rouget, de sauce vierge.
Servir le complément des sauces, en saucières chaudes.

LES VIANDES ET LES VOLAILLES

Grillade de bœuf aux appétits

MARCHÉ POUR 4 PERSONNES

Ingrédients principaux
4 tournedos de 120 g chacun
1 cuillère à café d'huile d'olive

Ingrédients de la garniture « appétits »
2 cuillères à soupe de persil
1 échalote
1/2 gousse d'ail
le jus de 1/2 citron
2 cuillères à café d'huile minceur (*voir recette p. 124*)
Sel, poivre
1 soupçon de noix de muscade « râpée »

Ustensiles de préparation et de présentation
1 gril
1 petit bol
4 assiettes chaudes

1. Hacher ensemble les ingrédients de la garniture « appétits » (persil, échalote, ail).
Les réunir dans un bol, les assaisonner de sel, poivre, noix muscade et les arroser du jus de citron, et d'huile minceur.

2. Badigeonner légèrement les tournedos d'huile d'olive, et les griller selon son goût (*voir technique p. 31*). Saler, poivrer. Les éponger en fin de cuisson à l'aide d'un papier absorbant.

3. Répartir les « appétits » sur les tournedos et dresser le tout sur assiettes chaudes. On peut servir ces grillades accompagnées de gratin de pommes du pays de Caux (*voir recette p. 336*).

Grillade de bœuf au gros sel

1. Les tournedos peuvent être cuits sans matière grasse sur un lit de gros sel.

2. Pour cela, étaler une couche de gros sel dans le fond d'une poêle, la rentrer à four très chaud (250 °C, thermostat 9-10) et attendre que le sel crépite.

3. Poser la viande à cuire sur ce fond salin en procédant comme pour une grillade ordinaire.

Grillade de bœuf au poivre vert

Les tournedos sont grillés comme pour les grillades aux appétits et disposés sur les assiettes préalablement **nappées** de sauce au poivre vert (*voir recette p. 302*).

Estouffade de bœuf aux petits légumes

MARCHÉ POUR 2 PERSONNES

Ingrédients principaux

300 g de viande de bœuf (paleron, joue de bœuf, etc.) dégraissée, dénervée et coupée en cubes de 30 g
1 litre de fond de volaille (*recette p. 68*) ou bouillon en tablettes
1/4 de litre de vin rouge (Algérie)

Ingrédients de la garniture de légumes d'accompagnement

8 mini-carottes ⎫ obtenus à partir de légumes normaux
4 mini-concombres ⎬ taillés en gros bâtonnets ou
8 mini-navets ⎭ éventuellement **tournés**
4 petites fleurs de chou-fleur
8 petits oignons « grelots »

Ingrédients de la garniture aromatique

50 g de blanc de poireau ⎫
70 g de carottes ⎬ coupés grossièrement
80 g d'oignons ⎥ en lamelles
50 g de champignons de Paris ⎭
1 petit bouquet garni (*voir p. 99*).
6 g de sel
1 pointe de poivre

Ingrédients de sauce

20 g de fromage blanc 0 %
1 cuillère à café de crème fraîche
1/2 cuillère à café de persil haché frais

Ustensiles de préparation

1 petite cocotte en fonte ou en terre
1 poêle antiadhésive

1. Faire bouillir et réduire de moitié – pour en éliminer presque entièrement l'alcool – le vin rouge dans la cocotte.

2. Sauter les dés de viande à la poêle antiadhésive.

3. Les verser dans la cocotte en ajoutant le bouillon de volaille et tous les ingrédients de la garniture aromatique.

4. Cuire à couvert et à faibles bouillons pendant 1 h 30, soit sur le feu, soit au four qui me paraît mieux adapté pour cette opération.

5. Pendant l'opération précédente **(4)** cuire les légumes d'accompagnement à l'eau salée bouillante (1/4 d'heure pour les oignons, 10 minutes pour les carottes, navets et fleurs de chou-fleur et 2 minutes pour les concombres).

6. Après sa cuisson **(4) débarrasser** la viande à l'aide d'une écumoire et la conserver au chaud.

7. Passer la sauce de cuisson au chinois-étamine.

Garder une cuillère à soupe de légumes de la garniture aromatique, ils vont servir à confectionner la sauce.

8. Les broyer en purée à l'aide du mixer en y ajoutant la sauce de cuisson passée **(7)**, la crème et le fromage blanc 0 %.

9. Puis reverser ce mélange **(8)** dans la cocotte. Y déposer les dés de viande.

Vérifier l'assaisonnement s'il y a lieu.

10. Présenter l'estouffade dans sa cocotte de cuisson en la parsemant de tous les ingrédients de la garniture de légumes d'accompagnement **(5)** – bien égouttés – et en l'agrémentant de persil haché frais.

Pot-au-feu de viande en fondue

MARCHÉ POUR 4 PERSONNES

Ingrédients principaux

150 g de noix de veau ⎫
150 g de filet de bœuf ⎬ chacun en une tranche épaisse
150 g de gigot d'agneau ⎭
1 litre 1/2 de bouillon de bœuf
1 cuillère à soupe de sauce soja
Sel, poivre

Ingrédients de la garniture aromatique du bouillon de bœuf

16 mini-carottes ⎫ obtenus à partir de légumes normaux
16 mini-navets ⎬ taillés en gros bâtonnets ou
8 mini-concombres ⎭ éventuellement **tournés**
4 petits poireaux
8 petits oignons « grelots »
1 petite branche de céleri
1 gousse d'ail non épluchée
1 bouquet garni (*voir p. 99*)
1 clou de girofle

Sauces d'accompagnement

8 cl de sauce coulis de tomates (*voir recette p. 142*)
8 cl de sauce au persil (*voir recette p. 145*)
8 cl de sauce béarnaise (*voir recette p. 138*)

Ustensiles de préparation et de présentation

1 casserole et son couvercle
2 plats creux
1 « service à fondue » et ses fourchettes
4 assiettes chaudes
4 petits bols

1. Préparer les sauces d'accompagnement et les tenir au chaud.

2. Faire bouillir, dans une casserole, à couvert, pendant 15 minutes, le litre 1/2 de bouillon de bœuf avec tous les ingrédients de la garniture aromatique. Saler et égoutter les légumes.

3. Entre-temps, détailler en cubes de 2 cm de section les viandes de veau, de bœuf et d'agneau.

Les mettre à mariner dans un plat creux avec la cuillère à soupe de sauce soja.

4. *Pour le service :*

Disposer sur la table le second plat creux contenant la viande et les légumes du bouillon.

Verser 1 litre du bouillon de bœuf aromatisé dans la casserole du « service à fondue » dressé au centre de la table.

Chaque convive cuit ses viandes selon son goût en les pochant dans le bouillon, en les trempant dans les sauces d'accompagnement et en les assaisonnant.

Le bouillon de bœuf restant peut être servi en même temps dans des petits bols.

Langue de bœuf
à la fondue d'oignons

MARCHÉ POUR 6 PERSONNES

Ingrédient principal
1 langue de génisse

Ingrédients du fond de cuisson et de sauce
1 kg d'oignons
1/2 litre de vin rouge
1/2 litre de fond de volaille (*recette p. 68*) ou bouillon de volaille en tablettes
3 tomates
1 bouquet garni (*voir p. 99*)
1 gousse d'ail non épluchée
1 cuillère à soupe de cerfeuil haché frais
1 cuillère à café d'estragon haché frais
Sel, poivre

Ustensiles de préparation et de présentation
2 casseroles inoxydables
1 cocotte ovale en fonte et son couvercle
1 écumoire à manche
1 mixer
1 plat ovale de service

1. Plonger la langue dans l'eau bouillante, non salée, pendant **15 minutes.**

Préparation des légumes :
2. Pendant ce temps préparer le bouquet garni.
— Couper les tomates en deux, les presser dans la main, pour en éliminer les pépins et l'eau de végétation.
— Éplucher les oignons et les couper en fines lamelles.

3. Dans une casserole, faire bouillir et réduire le vin rouge de moitié.

4. Enlever la peau de la langue. Une fois dépouillée, l'assaisonner de sel et poivre et la coucher dans le fond de la cocotte.

La recouvrir des oignons, des demi-tomates, du bouquet garni, de la gousse d'ail non épluchée et de la moitié du cerfeuil et de l'estragon hachés.

5. Mouiller du vin rouge réduit et du 1/2 litre de fond de volaille. Vérifier l'assaisonnement. Couvrir et cuire à four moyen (200 °C, thermostat 6) pendant 2 heures.

6. Au terme de cette cuisson, retirer la langue et la tenir au chaud. Éliminer le bouquet garni et passer tous les éléments de cuisson **(4, 5)** de la langue au mixer.

7. Pour servir, dresser la langue tranchée et reconstituée sur un plat ovale et arroser tout autour de la sauce marmelade obtenue au mixer **(6)**.

Saupoudrer du restant de cerfeuil et d'estragon hachés.

Côte de veau « grillée en salade »

MARCHÉ POUR 4 PERSONNES

Ingrédients principaux

4 côtes de veau « premières » de 110 g chacune bien dégraissées

Ingrédients de garniture

130 g de carottes
130 g de champignons ⎫ taillés en petit dés de 3 mm de côté
100 g d'oignons ⎭
1/3 de cuillère à café de fleur de thym
8 g de sel
1 pointe de poivre
1 cuillère à café d'huile d'olive
1 cuillère à soupe de tomate concassée cuite (*voir recette p. 330*)
1 cuillère à café de persil haché frais
12 belles feuilles de salade verte

Ingrédients de liaison

30 g de mousse de champignons (*voir recette p. 323*)
20 cl de fond de veau (*voir recette p. 65*)

Sauce d'accompagnement

20 cl de sauce coulis de tomates (*voir recette p. 142*)

Ustensiles de préparation et de présentation

1 gril
1 casserole à fond épais et son couvercle
1 plat ovale allant au four
1 saucière

1. Faire chauffer l'huile d'olive dans la casserole.
Y faire cuire successivement les carottes 4 minutes puis les oignons 4 minutes et en dernier les champignons 4 minutes,

en tout 12 minutes de cuisson. Assaisonner de sel, poivre, fleur de thym et couvrir.

2. Laisser cuire à nouveau le tout 2 minutes puis mouiller avec 10 cl de fond de veau. Faire mijoter 10 minutes avec la tomate concassée et le persil haché.

3. Ajouter la mousse de champignons et mélanger le tout délicatement avec une fourchette en prenant bien soin de ne pas écraser les légumes. Faire refroidir.

4. Quadriller les côtes sur le gril en prenant soin de les tenir « rosées » (le but de cette opération est de parfumer la viande d'une odeur de grillade).

5. **Blanchir** (ébouillanter 1 minute) les feuilles de salade et les étendre sur un linge en les réunissant par trois.

6. Recouvrir chaque côté de 2 cuillères 1/2 à soupe de la garniture **(1, 2, 3)** et les emmailloter complètement dans les feuilles de salade.

7. Dans un plat allant au four mettre les 10 cl de fond de veau restants et déposer dessus les 4 côtes de veau.

8. Chauffer le four à 200 °C, thermostat 6. Y tenir le plat 1/4 d'heure.

9. Servir tel quel en sortant du four et proposer en guise de sauce le coulis de tomates fraîches à part dans une saucière.

Blanquette de veau à la vapeur

MARCHÉ POUR 2 PERSONNES

Ingrédients principaux

300 g de veau, dégraissé, dénervé et découpé en cubes de 30 g (épaule)

1 litre 1/4 de fond de volaille (*voir recette p. 68*) ou de bouillon de volaille en tablettes

Ingrédients de la garniture de légumes d'accompagnement

4 mini-carottes ⎫
4 mini-concombres ⎬ obtenus à partir de légumes normaux taillés en gros bâtonnets ou éventuellement **tournés**
4 mini-navets ⎭

4 petites fleurs de chou-fleur

4 petits oignons « grelots »

4 petits champignons de Paris dits « boutons »

Ingrédients de la garniture aromatique

50 g de blanc de poireau ⎫
70 g de carottes ⎬ grossièrement coupés en rondelles
20 g de céleri-branche ⎪
50 g de champignons de Paris ⎭

1 petit bouquet garni (*voir p. 99*) ; 6 g de sel ; 1 pointe de poivre

Ingrédients de la sauce

1 cuillère à café de sauce Périgueux (*voir recette p. 86*) [facultatif]

1/2 cuillère à café de crème fraîche (facultatif)

1 pointe d'estragon haché

20 g de fromage blanc 0 % calorie

Ustensiles de préparation et de présentation

2 petites casseroles, 1 couvercle

1 passoire-étamine

1 mixer

2 assiettes plates chaudes

Cette blanquette peut se cuire soit dans le bouillon (A), soit à la vapeur (B).

A — *PREMIÈRE MÉTHODE*

1. Mettre à cuire dans une casserole, pendant 1 h 30 à feu moyen, la viande de veau et la garniture aromatique dans le bouillon de volaille.

2. Cuire dans une autre casserole les ingrédients de la garniture de légumes d'accompagnement à l'eau salée (10 minutes pour les carottes et les navets, 2 minutes pour les concombres), les piquer à l'aide d'une aiguille à tricoter pour s'assurer de leur cuisson qui doit les laisser un peu fermes.

Les tenir au chaud dans leur eau de cuisson et les égoutter juste avant emploi.

3. Débarrasser la viande après cuisson **(1)**, passer le bouillon de volaille au travers d'une passoire-étamine et conserver une cuillère à soupe des légumes de la garniture aromatique, elle servira à confectionner la sauce.

4. Broyer au mixer cette cuillerée de légumes, ajouter l'estragon, le fromage blanc 0 % calorie, la crème et la sauce Périgueux (facultatif). **Détendre** avec 15 cl de bouillon de volaille et rebroyer une minute.

5. Présenter la viande sur assiette, la recouvrir de la sauce **(3, 4)** ainsi obtenue et la parsemer des légumes d'accompagnement bien égouttés **(2)**.

B — *DEUXIÈME MÉTHODE*

1 *bis.* Prendre un petit couscoussier ou une casserole munie d'une grille ronde à pieds venant affleurer le bouillon de volaille.

2 *bis.* Ajouter à ce bouillon la garniture aromatique et ranger sur la grille des cubes de viande accompagnés de petits légumes de garniture.

3 *bis*. Recouvrir la casserole – ou couscoussier – de son couvercle et cuire doucement pendant 2 heures.

4 *bis*. Pour la sauce et la finition du plat, pratiquer de la même façon que celle indiquée dans la première méthode **(3, 4, 5)**.

Escalope de veau grillée au coulis de culs d'artichaut

MARCHÉ POUR 4 PERSONNES

Ingrédients principaux

4 escalopes de veau de 100 g chacune (taillées dans la noix)
1 cuillère à soupe d'huile d'arachide

Ingrédients de la garniture

16 mini-carottes ⎫ obtenus à partir de légumes normaux
16 mini-navets ⎬ taillés en gros bâtonnets ou
8 mini-concombres ⎭ éventuellement **tournés**

16 petits oignons « grelots » ; 1 cuillère à soupe de persil haché

Sauce d'accompagnement

25 cl de sauce coulis d'artichauts (*voir recette p. 144*)

Ustensiles de préparation et de présentation

1 gril
1 casserole
4 assiettes plates chaudes

1. Cuire les légumes à l'eau salée bouillante : oignons : 15 minutes ; carottes, navets : 10 minutes ; concombre : 2 minutes. Les garder au chaud dans leur eau de cuisson.

2. Badigeonner légèrement les escalopes à l'huile d'arachide et les griller en les quadrillant 2 minutes de chaque côté (*voir technique p. 31*).
Saler, poivrer. Les éponger à l'aide d'un papier absorbant.

3. Napper le fond des assiettes de la sauce coulis d'artichauts, y déposer les escalopes grillées entourées des légumes **(1)** égouttés, saupoudrés du persil fraîchement haché.

269

Jarret de veau aux oranges

MARCHÉ POUR 4-5 PERSONNES

Ingrédients principaux
1 jarret de veau avec os
1 cuillère à soupe d'huile d'olive

Ingrédients de la marinade
100 g d'oignons
1 branche de basilic
1 clou de girofle pilé
1 petit bouquet garni (*voir p. 99.*)
Le jus de 2 oranges
Le jus de 1 citron
Sel, poivre

Ingrédients de la sauce de liaison
10 cl de fond de volaille (*voir recettes p. 68*) ou bouillon de volaille en
   tablettes
Sauce gastrique { 6 cl de vinaigre de vin
{ 3 cuillères à café rases d'aspartam
1 orange

Ustensiles de préparation et de présentation
1 plat creux
1 cocotte en fonte ovale et son couvercle
2 petites casseroles
1 petit fouet
1 mixer
1 plat à service ovale

1. Taller l'oignon en fines lamelles et préparer la marinade
avec tous ses ingrédients, dans le plat creux.
Laisser mariner le jarret de veau 12 heures en le retournant
2 ou 3 fois.

2. L'égoutter, l'éponger et l'enduire de la cuillère à soupe d'huile d'olive.

3. Faire chauffer la cocotte, y mettre le jarret de veau pour le saisir et le faire colorer « blond ».

4. Puis verser dessus la marinade **(1)**, couvrir et cuire à four moyen (220 °C, thermostat 7) pendant 1 h 30.

5. Pendant ce temps préparer la sauce gastrique.

— Faire bouillir ensemble les 6 cl de vinaigre et les 3 cuillères à café rases d'aspartam jusqu'à ce que le mélange devienne sirupeux et marron clair.

— Peler l'orange à l'aide d'un couteau économe et tailler les pelures-zestes en fine **julienne** (taille des aiguilles de pin). Les ébouillanter, les refroidir aussitôt sous l'eau glacée et les égoutter.

— Finir de peler l'orange à vif : enlever à l'aide d'un petit couteau bien tranchant la peau blanche restante, inciser le long des membranes intérieures de séparation et sortir les quartiers ainsi mis à nu.

6. Retirer le jarret de la cocotte. Tenir au chaud.

7. Passer au mixer la marinade de cuisson **(4)** avec les 10 cl de fond de volaille. Remettre à chauffer dans une casserole, ajouter, en la fouettant, la sauce gastrique **(5)** puis la **julienne** de zestes d'orange et les quartiers d'orange.

8. Détailler le jarret de veau en fines tranches et les aligner sur l'os en les faisant chevaucher.

Le dresser sur un plat ovale de service et **napper** tout autour de la sauce très chaude.

Rognon de veau « en habit vert »

MARCHÉ POUR 2 PERSONNES

Ingrédients principaux

1 rognon de veau bien clair
4 grandes feuilles d'épinard
4 grandes feuilles de laitue
Sel, poivre

Ingrédients aromatiques de braisage

1 blanc de poireau ⎫
1/2 oignon   ⎬ coupés en rondelles
1 carotte   ⎭
1 petit bouquet garni (*voir recette p. 99*)
20 cl de fond de veau (*voir recette p. 65*)
1 cuillère à café d'huile d'olive

Ingrédients de liaison de la sauce

1 cuillère à café de mousse de champignons (*voir recette p. 323*)
1/2 cuillère à café de fromage blanc 0 %
1/2 cuillère à café de moutarde

Ustensiles de préparation et de présentation

1 petite cocotte ovale et son couvercle
1 mixer
2 assiettes plates chaudes

1. Blanchir 1 minute les feuilles de laitue et d'épinard, les égoutter.

2. Dégraisser entièrement le rognon de veau, l'assaisonner de sel et poivre, l'enrober des feuilles de laitue et d'épinard.

3. Faire chauffer la cocotte et l'huile d'olive, y faire revenir la garniture aromatique (carotte, oignon, blanc de poireau, bouquet garni), poser le rognon dessus et mouiller avec le fond de veau.

—Braiser (*voir technique p. 55*) à couvert pendant 30 minutes en arrosant souvent (le rognon doit être « rosé »).

Confection de la sauce :

—Sortir le rognon de la cocotte. Passer le jus de cuisson au chinois-étamine.

—Broyer au mixer la mousse de champignons, avec le jus de cuisson **(3)**, le fromage blanc 0 % et la moutarde.

—Vérifier l'assaisonnement et remettre à chauffer sans faire bouillir.

4. Enlever les feuilles d'épinard et de laitue qui enveloppent le rognon, les étaler au fond des assiettes, ranger dessus le rognon – bien dégraissé intérieurement – et que l'on a tranché en fines rondelles **(4)**.

Verser tout autour la sauce en cordon.

Foie de veau à la vapeur
aux blancs de poireau en aigre-doux

MARCHÉ POUR 6 PERSONNES

Ingrédients principaux

900 g de foie de veau, en un seul morceau

1/2 litre de fond de volaille (*recette p. 68*) ou bouillon de volaille en tablettes

Ingrédients du hachis

1 cuillère à café d'huile d'olive

40 g de morilles séchées

40 g de mousserons séchés

120 g de champignons de Paris

100 g de chair de pied de porc cuit et désossé (à acheter en charcuterie)

2 échalotes hachées

1 pincée de fleur de thym. Sel, poivre

1 cuillère à soupe de porto

3 cuillères à soupe de fond de veau (*voir recette p. 65*)

Ingrédients des légumes et sauce d'accompagnement

24 petits poireaux tendres

12 cl de vinaigre de Jerez (ou de vin)

1 cuillère à soupe d'huile d'olive

20 cl de bouillon pris sur le fond de volaille de cuisson, 3 cuillères à café rases d'aspartam

Ustensiles de préparation et de présentation

1 casserole

1 couscoussier ou une casserole à vapeur

1 cocotte en fonte et son couvercle

1 grande feuille de papier aluminium

1 plat ovale de service chaud

Foie de veau à la vapeur aux blancs de poireau en aigre-doux

1. *Préparation des légumes :*
— Éplucher et laver les poireaux. Les tronçonner à 8 cm environ du départ de leur bulbe pour n'en conserver que les blancs.
— Mettre à tremper, 1/4 d'heure à l'eau froide, morilles et mousserons. Renouveler plusieurs fois l'eau de lavage et bien frotter les champignons entre les mains pour en éliminer toute trace de terre ou de sable. Les égoutter.
— Éplucher, laver, égoutter et couper en 4 les champignons de Paris.

2. *Cuisson du hachis :*
— Dans la casserole, chauffer l'huile d'olive, les 2 échalotes hachées, les champignons et le pied de porc haché ; assaisonner de fleur de thym et laisser cuire pendant 4 minutes.
— Ajouter le porto, le fond de veau, saler et poivrer.
— Cuire à couvert à feu doux pendant 10 minutes.
— Au terme de la cuisson, hacher tous ces ingrédients au couteau et les mettre à refroidir dans un plat.

3. *Cuisson du foie :*
— Poser le foie de veau, assaisonner de sel et poivre sur la feuille de papier aluminium.
— Le recouvrir complètement du hachis de champignons **(2)** et l'enfermer en le comprimant légèrement dans la feuille de papier, de manière à lui donner la forme allongée d'un rôti.
— Verser le fond de volaille dans la casserole à vapeur ou du couscoussier. Déposer le foie emmailloté sur la grille ou dans le récipient supérieur du couscoussier. Cuire à couvert pendant 25 minutes. Une fois cuit, le foie doit reposer 15 minutes.

4. *Cuisson des légumes d'accompagnement :*
— Pendant ce temps, faire chauffer l'huile d'olive dans la cocotte, y mettre à saisir et colorer les blancs de poireau. Saler, poivrer et laisser cuire à couvert pendant 20 minutes.

—Arroser des 12 cl de vinaigre de Jerez (ou de vin) et ajouter la cuillère à café rase d'aspartam. Laisser cuire à bouillons légers 5 autres minutes jusqu'à réduction de la moitié du liquide.

5. *Pour le service :*
—Dresser sur un plat ovale chaud le foie de veau débarrassé de son hachis, tranché et reconstitué.
—Disposer sur le dessus du foie des blancs de poireau en croisillons. Tenir l'ensemble au chaud.
—Verser le hachis dans la réduction de vinaigre **(4)**, arroser de 20 cl du fond de volaille de cuisson **(3)**, laisser bouillir pendant 1 minute, vérifier l'assaisonnement et en **napper** tout le pourtour du foie de veau.

Gâteau de ris de veau aux morilles

MARCHÉ POUR 4 PERSONNES

Ingrédients principaux de la farce

220 g de blanc de poulet cru (aile)
30 g de ris de veau dénervé cru
1/2 blanc d'œuf
1 cuillère à café de crème (facultatif)
1 cuillère à café de glace de viande (*voir recette p. 67*)
6 g de sel, 1 pointe de poivre et muscade
33 cl de lait écrémé

Ingrédients de garniture

180 g de ris de veau dénervé cru
25 g de morilles sèches
100 g de champignons de Paris
1 cuillère à café de glace de viande (*voir recette p. 67*)
1 cuillère à café de jus de truffe

Ingrédients de la sauce d'accompagnement

20 cl de fond de braisage du ris de veau
80 g de champignons de Paris
10 g de morilles sèches
5 cl de lait écrémé
4 lamelles de truffe

Ustensiles de préparation et de présentation

1 poêle antiadhésive, 1 casserole
1 petit pinceau
4 moules en porcelaine ou en terre diam. 9 cm, hauteur 4 cm
1 mixer
1 plat de service ou
4 assiettes plates chaudes

1. *Préparation de la farce :*
— Broyer au mixer, pendant 1 minute, blanc de poulet, ris de veau de la farce, sel, poivre, muscade.
— Ajouter le 1/2 blanc d'œuf. Broyer une autre minute.
— Incorporer la crème (facultatif), la glace de viande et le lait écrémé.
— Redonner un tour de mixer.
— **Débarrasser** dans un récipient et tenir au frais (cette farce est d'une consistance presque liquide).

2. *Préparation de la garniture intérieure des gâteaux :*
— Braiser les 180 g de ris de veau de la garniture (*voir technique p. 55*)
— Mettre à tremper les morilles à l'eau tiède.
— Les détailler en dés de 1 cm de section, ainsi que les champignons de Paris et les 180 g de ris de veau braisé.
— Dans la poêle faire suer à sec (rendre l'eau de végétation) champignons de Paris, morilles et ris de veau. Assaisonner en fin de cuisson et ajouter le jus de truffe et la glace de viande.
— Bien mélanger l'ensemble et **réserver** au frais.

3. *Sauce d'accompagnement :*
Dans la casserole cuire les champignons de Paris, les morilles hachés grossièrement dans le lait écrémé et les 20 cl de fond de braisage du ris de veau de la garniture. Broyer le tout au mixer.
Réserver au chaud.

4. *Préparation des gâteaux :*
— Passer rapidement l'intérieur des moules au pinceau mouillé d'eau fraîche pour empêcher la farce de coller au démoulage.
— Les remplir à mi-hauteur de farce **(2)**. Ajouter une cuillère à soupe de garniture **(3)**.
Recouvrir à nouveau de farce jusqu'au ras des moules.

— Cuire au bain-marie, à four moyen (200 °C, thermostat 6), pendant 20 minutes.

5. *Présentation :*
— Démouler les petits pots sur un plat de service ou sur assiettes individuelles.

— Décorer de lames de truffe le dessus des gâteaux et **napper** le tout de sauce à l'aide d'une cuillère à bouche.

— Servir bien chaud.

Ragoût fin d'Eugénie

MARCHÉ POUR 2 PERSONNES

Ingrédients principaux
170 g de ris de veau
15 g de morilles séchées
100 g de champignons de Paris épluchés
10 g échalote
70 g rognon de veau
Sel, poivre
12 cl de fond de volaille (*voir recette p. 68*) ou bouillon de volaille en
  tablettes

Ingrédients de la garniture légumes
4 mini-carottes ⎫ obtenus à partir de légumes normaux
4 mini-concombres ⎬ taillés en gros bâtonnets ou
4 mini-navets ⎭ éventuellement **tournés**
4 petites fleurs de chou-fleur
4 petits oignons « grelots »

Ingrédients de la garniture aromatique
1/2 carotte ⎫ grossièrement émincés
1/4 oignon ⎭
1 petit bouquet garni (*voir recette p. 99*)
1 tomate lavée et coupée en 4

Ingrédients de la sauce
8 cl de fond de cuisson du ris de veau
1 cuillère à soupe de sauce Périgueux (*voir recette p. 89*)
1 cl de jus de truffe

Ingrédients de liaison de la sauce
30 g de mousse de champignons (*voir recette p. 323*)
20 g fromage 0 %
1/2 cuillère à café de crème fraîche (facultatif)

Ustensiles de cuisson
1 casserole
1 cocotte
1 poêle antiadhésive

Préparation et cuisson du ris :

1. Mettre le ris à dégorger à l'eau courante pendant 2 heures pour en éliminer les dernières traces de sang coagulé à l'intérieur.

2. Le **blanchir,** pour cela le mettre dans une casserole d'eau froide, porter à ébullition et laisser bouillir plein feu pendant 2 minutes ;

— rafraîchir le ris, l'égoutter dans une passoire, le dépouiller des parties nerveuses et cartilagineuses qui l'entourent ;

— l'envelopper dans un torchon, poser dessus une planchette avec un poids, cette opération de presse sert à éliminer l'eau restée dans le ris, à lui donner une forme régulière, le rendant ainsi plus facile à couper :

— on le met ensuite à braiser.

2 *bis.* On peut ne pas le blanchir et le mettre à braiser directement, les sucs du ris se répandent alors tout de suite dans la sauce et la rendent plus goûteuse mais peut-être moins pure.

3. *Braisage.* Assaisonner le ris de sel et poivre du moulin, le disposer dans le fond d'une cocotte de grandeur adéquate, où l'on a préalablement mis à chauffer une cuillère à café d'huile d'olive. Ajouter les légumes de la garniture aromatique. Si l'on veut éliminer toute matière grasse, employer un récipient antiadhésif.

Laisser à peine colorer le ris sur toutes ses faces et la garniture aromatique pendant 5 minutes.

Ajouter les 2 cuillères de vin blanc, laisser bouillir et réduire des 3/4 pour éliminer l'alcool.

Puis incorporer les 12 cl de bouillon de volaille (8 grandes cuillères à soupe) et laisser cuire à couvert, à petits bouillons (au four ou sur le gaz) pendant 10 minutes.

4. Cuire les éléments de la garniture de légumes à l'eau salée. Les tenir au chaud dans leur eau de cuisson et les égoutter juste avant emploi.

5. Faire sauter, dans la poêle antiadhésive, les champignons assaisonnés, détaillés en gros dés de 1 cm de côté, y ajouter les morilles coupées en 4, préalablement lavées, trempées 1/2 heure à l'eau tiède, et l'échalote hachée. Laisser cuire 5 minutes.

6. Débarrasser le ris de veau cuit. Le détailler comme les champignons.

Passer la sauce au chinois-étamine.

7. Remettre tous les éléments (champignons, morilles, ris) dans la casserole de cuisson du ris. Ajouter le jus de truffe, la sauce Périgueux (facultatif) et les 8 cl de fond de cuisson du ris de veau **(3)**. Tenir au chaud.

8. Incorporer en remuant doucement à l'aide d'une fourchette de ménage la mousse de champignons, le fromage blanc 0 % et la cuillère à café de crème fraîche (facultatif).

9. Faire sauter, à la poêle antiadhésive, rapidement pour qu'il reste rosé, le rognon de veau assaisonné, détaillé comme les champignons. Mélanger dés de ris, dés de rognon et les légumes de garniture égouttés. Servir bien chaud dans la cocotte de cuisson.

Gigot d'agneau cuit dans le foin

MARCHÉ POUR 6 PERSONNES

Ingrédients principaux
1 petit gigot d'agneau de lait de 1,200 kg avec os
10 cl d'eau
2 grosses poignées de foin
1 branche de thym ; 1/2 feuille de laurier ; 1 branche
de serpolet (facultatif) ; sel, poivre

Ingrédients du jus d'accompagnement
18 cl de jus d'agneau (*voir technique p. 40*).
1 cuillère à café d'estragon ; 2 feuilles de menthe

Ustensiles de préparation et de présentation
1 cocotte ovale en fonte et son couvercle
1 plat de service chaud
1 saucière
1 ou 2 légumiers

1. Dans la cocotte, faire une litière avec le foin parfumé avec le thym, le laurier et le serpolet (facultatif). Y coucher le gigot salé et poivré. Recouvrir d'une autre poignée de foin, arroser des 10 cl d'eau, couvrir et cuire sur le feu ou à four moyen (220 °C, thermostat 7), 40 minutes.

2. Pendant ce temps, mettre à macérer dans un jus d'agneau préparé d'avance, chauffé et bien dégraissé, l'estragon et les feuilles de menthe hachés.

3. Présenter aux convives le gigot, dans sa cocotte de cuisson, entouré du foin.

4. Le découper en fines tranches, saler, poivrer, dresser sur un plat et servir la sauce, en saucière, accompagnée d'une ou deux purées-mousses de légumes au choix. La sauce d'accompagnement peut être remplacée par une sauce coulis de tomates fraîches (*voir recette p. 142*) bien aillée.

Volaille « truffée » au persil
(poulet, pintadeau, faisan)

MARCHÉ POUR 4 PERSONNES

Ingrédients principaux
1 volaille de 1 kg

Ingrédients de garniture
5 cuillères à soupe de persil haché
1 cuillère à soupe de ciboulette hachée
1 cuillère à café d'estragon haché
2 échalotes hachées
50 g de champignons de Paris hachés
1 cuillère à soupe de fromage blanc 0 %
Sel, poivre

Ingrédients du jus de rôti
18 cl de fond de volaille (*voir recette p. 68*) ou bouillon de volaille en tablettes
1 cuillère à soupe de persil haché
1 gousse d'ail non pelée

Ustensiles de préparation et de présentation
1 plat à rôtir
1 chinois-étamine
1 bol

1. Bien mélanger à la fourchette dans un bol tous les ingrédients de la garniture : persil, ciboulette, estragon, champignons, échalotes, fromage blanc 0 %, sel et poivre, de façon à obtenir une pâte bien homogène.

2. Décoller entièrement, à la main, la peau de la volaille (en glissant les doigts entre chair et peau), pour y introduire la garniture, la répartir uniformément sur les filets et les cuisses.

3. Assaisonner l'intérieur de la volaille de sel et poivre ; mettre à rôtir 40 minutes à four chaud (240 °C, thermostat 8), après l'avoir enduite d'une cuillère à café d'huile d'arachide.

4. Au terme de la cuisson, enlever la volaille et la garder au chaud. Faire revenir aussitôt dans le plat à rôtir, encore chaud, l'ail écrasé non pelé et le persil haché. Arroser de 18 cl de fond de volaille, faire bouillir en grattant bien le fond du plat avec une fourchette pour en décoller les sucs caramélisés au cours de la cuisson. Réduire ce jus de 1/3 de son volume et vérifier son assaisonnement.

5. Découper la volaille en 4 et arroser chaque morceau du jus passé au chinois-étamine.

Dresser et servir dans le plat à rôtir.

Ailerons de volaille aux navets confits

MARCHÉ POUR 2 PERSONNES

Ingrédients principaux

16 ailerons de volaille

8 cl de vin blanc

20 cl de fond de volaille (*voir recette p. 68*) ou bouillon de volaille en tablettes

1 pointe d'estragon haché

Ingrédients de la sauce

5 cl de vermouth

1 cuillère à café de glace de viande (*voir recette p. 67*)

1 cuillère à café de mousse de champignons (*voir recette p. 323*)

1 cuillère à café de crème fraîche

40 g de champignons de Paris taillés en petits cubes de 1/2 cm de côté

Ingrédients de la garniture de légumes

150 g de navets

8 cl d'eau

8 cuillères à café rases d'aspartam

1 cuillère à soupe de tomate concassée crue (*voir recette p. 330*)

1 cuillère à café de cerfeuil haché

Ustensiles de préparation et de présentation

2 casseroles, 1 couvercle

1 petite poêle antiadhésive

1 mixer

2 assiettes plates chaudes

1. Blanchir les ailerons en les plongeant 2 à 3 minutes dans l'eau bouillante, après en avoir sectionné net, à l'aide d'un bon couteau, les deux extrémités pour en faciliter le désossement.

2. Enlever les 2 petits os de chaque aileron en appuyant sur celui-ci avec le pouce.

3. Faire chauffer la casserole avec le vin blanc, l'estragon, les ailerons, sel et poivre.

Laisser réduire des 3/4 du volume et ajouter les 20 cl de fond de volaille.

Cuire à couvert 5 minutes.

4. Tailler les navets en grosse **julienne** ou éventuellement les **tourner**.

5. Les blanchir à l'eau salée, les égoutter et les mettre dans une casserole avec 10 cl d'eau et 5 cuillères à café rases d'aspartam.

Laisser s'évaporer l'eau à feu doux pendant environ 10 minutes : les navets sont confits. Tenir au chaud.

6. Préparer la sauce : faire bouillir et réduire le vermouth des 3/4 de son volume. Le verser dans le mixer avec la mousse de champignons, la crème et la glace de viande. Broyer pendant 1 minute et **détendre** cette sauce avec le bouillon de cuisson des ailerons. Ne plus mixer. Ajouter les 40 g de champignons sautés à sec dans une poêle antiadhésive.

7. Dresser les ailerons sur assiette, les **napper** de la sauce obtenue, éparpiller dessus les navets confits, la tomate concassée et le cerfeuil haché fraîchement.

N.B. L'aileron est la partie extrême de l'aile des volailles.

Poulet au tilleul en vessie

MARCHÉ POUR 4 PERSONNES

Ingrédients principaux
1 poulet de 1 kg
1 vessie de porc ou, sa version actuelle
1 sac plastique
1 litre de bouillon de volaille (*recette p. 68*) ou de bouillon de volaille
   en tablettes
50 g de tilleul
400 g d'oignons en lamelles
1 cuillère à soupe de vermouth
Sel

Poivre

Ingrédients de la sauce
1 cuillère à café de glace de viande (facultatif) (*voir p. 67*)
1 cuillère à café de crème
1/2 pomme fruit ⎫
1/2 pamplemousse ⎬ taillés en petits cubes de 1/2 cm de côté
20 g de pimientos ⎭

Ustensiles de préparation et de présentation
1 casserole
1 cocotte en fonte et son couvercle
1 mixer
1 plat de service chaud

1. Garnir l'intérieur du poulet de 10 g de feuilles de tilleul, le ficeler. Le glisser dans la vessie de porc retournée (*voir p. 51*) ou le sac plastique.

Ajouter, avant de fermer la vessie ou le sac, les 10 autres grammes de tilleul, les oignons, la cuillère à soupe de vermouth, sel et poivre. Laisser mariner.

2. Dans une casserole faire bouillir 1 litre de bouillon de volaille et le laisser réduire des 3/4 de son volume pour le corser.

3. Verser dans la vessie ou le sac les 25 cl de bouillon restants et la refermer hermétiquement à l'aide d'une ficelle. La piquer de la pointe d'un couteau pour y pratiquer quelques trous, en guise de soupapes de sécurité*.

4. L'immerger dans la cocotte remplie à moitié d'eau chaude, refermer le couvercle et cuire à feu moyen pendant 1 h 15.

5. Sortir le poulet de la vessie ou du sac, enlever le tilleul. Passer au mixer oignons, bouillon, crème et glace de viande (facultatif).

Verser la sauce obtenue dans une casserole pour la tenir au chaud et lui ajouter les petits cubes de pomme fruit, de pamplemousse et de pimientos.

6. L'élaboration de la sauce étant très rapide, on peut, pour obtenir un bel effet, présenter tout d'abord le poulet aux convives, dans la vessie.

Puis réaliser aussitôt la sauce et parallèlement dépouiller le poulet de sa peau, le découper en 4 et le décorer des feuilles de tilleul recueillies après cuisson. Le dresser sur la sauce étalée au fond du plat très chaud*.

* Si vous employez le sac plastique, ne pas le piquer.

Poulet aux écrevisses

MARCHÉ POUR 4 PERSONNES

Ingrédients principaux

1 poulet de 1 kg

12 petites écrevisses vivantes

2 litres de fond de volaille (*voir recette p. 68*) ou bouillon de volaille en tablettes

1 cuillère à café de persil haché frais

1/2 cuillère à café d'estragon haché frais

80 g d'oignons ⎱ épluchés et coupés

80 g de carottes ⎰ en fines rondelles

1 petit bouquet garni (*voir p. 99*)

Sauce d'accompagnement

25 cl sauce homardière chaude (*voir recette p. 150*)

Ustensiles de préparation et de présentation

1 cocotte

1 écumoire

1 plat de service chaud

1. Faire chauffer dans la cocotte les 2 litres de fond de volaille aromatisés du bouquet garni et des rondelles d'oignon et de carotte.

Y plonger le poulet, salé et poivré. Cuire à faibles bouillons 25 minutes.

2. En même temps et dans ce même bouillon, pocher 2 minutes les écrevisses préalablement lavées à l'eau froide. Les égoutter et les tenir au chaud.

3. Pendant la fin de la cuisson du poulet préparer la sauce d'accompagnement (*voir recette p. 150*).

4. À l'aide d'une écumoire, enlever le poulet de son bouillon de cuisson. Découper les 2 ailes et les 2 cuisses. Leur ôter la peau.

5. Disposer les morceaux sur le plat de service, les **napper** de la sauce d'accompagnement et ranger tout autour les écrevisses, pinces en l'air.

Saupoudrer le tout de persil et d'estragon hachés frais.

Poulet en soupière aux écrevisses

MARCHÉ POUR 4 PERSONNES

Ingrédients principaux

1 poulet de 1 kg

8 petites écrevisses vivantes

2 litres de fond de volaille (*voir recette p. 68*) ou bouillon de volaille
en tablettes

Ingrédients de la garniture

280 g de pois gourmands dits « mangetout »

Ingrédients de la sauce d'accompagnement

24 cl de sauce homardière chaude (*voir recette p. 150*)

12 cl de fond de volaille (*voir recette p. 68*) ou bouillon de volaille en
tablettes

Ustensiles de préparation et de présentation

2 casseroles

1 écumoire à manche

4 petites soupières individuelles en porcelaine blanche

4 ronds de papier aluminium, diamètre 15 cm

1. Pocher le poulet, pendant 15 minutes, dans le fond de
volaille à faibles bouillons.
Le découper et prélever les 2 cuisses et les 2 ailes.

2. Dans le même fond, cuire les pois gourmands, 10 minutes
« al dente » – encore un peu croquants.
Stopper leur cuisson en les plongeant dans l'eau glacée.
Les égoutter.

3. Dans l'autre casserole, faire bouillir de l'eau salée et y
pocher 30 secondes les écrevisses entières préalablement
lavées à l'eau froide.

4. Confectionner la sauce homardière chaude (*recette p. 150*).

5. Répartir les pois gourmands dans le fond de chaque soupière. Y déposer la part de poulet et 2 écrevisses. Recouvrir de 6 cl de sauce homardière et 3 cl de fond de volaille.

6. Chapeauter la soupière d'un rond de papier aluminium ficelé, comme vous le feriez pour un pot de confiture. Cuire à four chaud (240 °C, thermostat 8) pendant 15 minutes. Laisser à votre convive le soin d'enlever lui-même ce chapeau de papier et de découvrir tous les effluves de cette soupe.

Gigot de poulette
cuit à la vapeur de marjolaine

MARCHÉ POUR 4 PERSONNES

Ingrédients principaux

4 cuisses de poulette ou de petit poulet de 220 g chacune
3 branches de marjolaine fraîche
3/4 de litre de fond de volaille (*recette p. 68*) ou bouillon de volaille
  en tablettes

Ingrédients de la farce

220 g de ris de veau cru entier dénervé
40 g de blanc de poulette
45 g d'oignons hachés
30 g de champignons de Paris coupés en 2
50 g de morilles séchées coupées en 2
7 cl de fond de volaille
3 cl de porto
3 cl d'huile d'olive
5 g de sel, 1 pointe de poivre

Ingrédients de la sauce

40 g de mousse de champignons
15 cl de cuisson des cuisses de poulette
1 cuillère à café de purée de cresson (*voir recette p. 326*)
10 g fromage blanc 0 %
10 g crème fraîche (facultatif)

Ingrédients de la garniture de légumes

80 g de carottes ⎫
20 g céleri-rave ⎬ obtenus à partir de légumes normaux
80 g d'asperges ⎬ taillés en gros bâtonnets ou
60 g haricots verts ⎭ éventuellement **tournés**
30 g morilles séchées coupées en 2
12 petits oignons « grelots »

Gigot de poulette cuit à la vapeur de marjolaine

Ustensiles de cuisson et de présentation
2 casseroles dont 1 avec sa grille pour cuire à la vapeur, leurs
  2 couvercles
1 plat ovale ou 4 assiettes chaudes

Préparation de la farce :
1. Laver les morilles séchées plusieurs fois à l'eau fraîche et les faire gonfler à l'eau tiède.

2. Mettre l'huile d'olive à chauffer dans la casserole. Ajouter oignons, champignons de Paris et morilles.

3. Faire suer (laisser les légumes rejeter leur eau de végétation) pendant 1 minute, ajouter le ris de veau entier et dénervé, le blanc de poulet, sel et poivre.

4. Laisser mijoter l'ensemble 2 minutes, y verser le porto puis faire réduire des 3/4 du volume avant d'ajouter les 7 cl de fond de volaille.

Couvrir et laisser cuire doucement pendant 30 minutes.

Préparation des cuisses et du bouillon :
5. Désosser les cuisses de poulette à l'aide d'un petit couteau.

6. Préparer le fond de cuisson en faisant infuser la marjolaine à chaud dans les 3/4 de litre de fond de volaille.

Finition de la farce :
7. Laisser refroidir la cuisson des ingrédients de la farce **(4)**, puis en découper tous les éléments en petits dés de 5 mm de côté. Mélanger le tout en ajoutant 1 cl du liquide de cuisson.

8. Saler et poivrer légèrement la cavité intérieure des cuisses désossées **(5)**, la remplir de farce en appuyant bien pour la tasser.

9. Refermer la cuisse farcie en fixant la peau à l'aide d'une pique en bois ou d'une ficelle.

Cuisson des cuisses :
10. Piquer à la fourchette les cuisses farcies (pour éviter l'éclatement pendant la cuisson).

11. Les ranger dans la casserole sur la grille de cuisson affleurant le bouillon de marjolaine **(6)**. Parsemer de quelques feuilles de marjolaine. Fermer le couvercle et cuire à la vapeur, 30 minutes à feu doux.

12. Pendant ce temps cuire à l'eau salée les ingrédients de la garniture de légumes. Tenir au chaud.

Préparation de la sauce :

13. Mélanger au mixer la mousse de champignons, de cresson, le fromage blanc 0 %, la crème fraîche (facultatif) et les 15 cl du fond de cuisson, à la vapeur **(11)**.

Vérifier l'assaisonnement de la sauce ainsi réalisée et la garder au chaud.

Finition sur plat ou assiettes individuelles :

14. Étaler la sauce – elle doit être d'un beau vert tendre – dans le fond du plat ou des assiettes.

Y dresser les cuisses de poulette décorées de feuilles de marjolaine et disposer tout autour les bâtonnets de légumes de toutes les couleurs.

Brouet de cœurs d'oie

MARCHÉ POUR 2 PERSONNES

Ingrédients principaux

8 cœurs d'oie (ou 12 cœurs de poulet) bien dégraissés
1 cuillère à café d'huile d'olive

Ingrédients de la garniture de légumes

10 petits oignons « grelots »
10 petits champignons de Paris
8 petites fleurs de chou-fleur
40 g de haricots verts

Ingrédients de la sauce d'accompagnement
10 cl de fond de veau (*voir recette p. 65*).
8 cl de vin rouge
100 g d'oignons en fines lamelles
1 cuillère à café de persil haché
1 pointe d'ail (facultatif)

Ustensiles de préparation et de présentation
2 casseroles, 1 couvercle
2 assiettes plates chaudes

1. Dans la première casserole, cuire la garniture de légumes à l'eau salée (1/4 d'heure pour les oignons, 10 minutes pour les choux-fleurs, 5 minutes pour les champignons et les haricots verts). Tenir au chaud dans l'eau de cuisson.

2. *Préparation de la sauce :*
— Dans la seconde casserole, faire revenir à sec les oignons en lamelles (l'humidité les empêche d'attacher), les arroser des 8 cl de vin rouge. Faire réduire des 3/4 du volume.
— Ajouter les 10 cl de fond de veau, assaisonner et cuire à feu doux, à couvert, pendant 20 minutes.
— Passer ce mélange au mixer.

3. Égoutter les légumes de la garniture, les verser dans la casserole de la sauce **(2)**.
Mélanger le tout délicatement avec une fourchette.

4. Faire chauffer, dans la première casserole, la cuillère à café d'huile d'olive, y disposer les cœurs d'oie pour les faire colorer, assaisonnés de sel et poivre. Cuire 8 minutes en les retournant.

5. Dresser au fond des assiettes le mélange sauce-légumes **(3)**. Étaler dessus les cœurs d'oie coupés en deux et saupoudrés du persil fraîchement haché (facultatif : on peut leur ajouter une pointe d'ail).

Pintadeau grillé au citron vert

MARCHÉ POUR 4 PERSONNES

Ingrédient principal

1 pintadeau de 900 g

Ingrédients de la marinade

100 g d'oignons en fines lamelles
10 cl de fond de volaille (*voir recette p. 68*) ou bouillon de volaille en
   tablettes
4 cl de jus de citron vert
2 cl de jus d'orange

Ingrédients de la sauce

1 cuillère à café de glace de viande (*voir recette p. 67*)
1 cuillère à café de crème fraîche

Sauce gastrique { 6 cl de vinaigre
{ 3 cuillères à café rases d'aspartam

Ingrédients de décor

1 citron vert pelé à vif puis détaillé en quartiers
Zestes de 1/2 citron vert et de 1/4 d'orange taillés en fine julienne

Ustensiles de préparation et de présentation

1 grand couteau
1 couteau batte
1 plat creux pour faire mariner
2 casseroles
1 gril
1 mixer
4 assiettes plates chaudes

**1. Préparer le pintadeau comme pour griller en crapaudine :
l'ouvrir par le dos en glissant à l'intérieur et le long de la
colonne vertébrale la lame d'un gros couteau avec laquelle**

on fend l'animal. Cette colonne vertébrale est totalement supprimée et la volaille bien aplatie à l'aide d'une « batte ». Les extrémités des pilons sont rentrées dans 2 incisions faites de chaque côté des flancs (vous pouvez aussi demander à votre volailler de réaliser cette préparation).

2. Le faire macérer 12 h dans les ingrédients de la marinade.

3. L'égoutter et cuire la marinade seule à feu doux pendant 20 minutes.

4. Pendant ce temps préparer la sauce gastrique :
Faire bouillir ensemble vinaigre et aspartam jusqu'à ce que le mélange devienne sirupeux et marron clair.

5. Broyer au mixer la marinade cuite **(3)**, la glace de viande, la crème, la sauce gastrique – vérifier l'assaisonnement – et **réserver** au chaud.

6. Griller le pintadeau 20 minutes environ en le quadrillant 10 minutes de chaque côté. Ne pas oublier de piquer la peau pour laisser s'écouler les graisses.

7. Répartir la sauce **(5)** dans le fond des assiettes bien chaudes, poser les quartiers de pintadeau et décorer avec les tranches de citron vert et les zestes d'orange et de citron préalablement cuits à l'eau, 15 minutes.

Aiguillettes de caneton
aux figues fraîches

MARCHÉ POUR 4 PERSONNES

Ingrédients principaux

2 canetons de 1,500 kg (challans ou rouennais), de préférence
   étouffés
12 figues fraîches

Ingrédients de la sauce d'accompagnement

8 cl de fond de veau réduit (*voir recette p. 65*)
8 cl du lait de cuisson de la mousse de champignons
2 cuillères à café de crème fraîche, ou
2 cuillères à café de fromage 0 %
1 cuillère à soupe de mousse de champignons (*voir recette p. 323*)
15 cl de cuisson des figues
15 cl de vin rouge + 2 cuillères à café rases d'aspartam
Sel, poivre

Ustensiles de préparation et de présentation

1 plat ovale à rôtir
1 casserole
1 fouet
1 plat de service chaud

1. Rôtir les deux canards, sans les cuisses qui serviront pour
une autre recette après en avoir piqué la peau avec une
fourchette pour éliminer pendant la cuisson l'excédent de
graisse contenue dessous. Temps de cuisson 15 à 20 minutes
à four très chaud (250 °C, thermostat 9-10). Le canard doit
rester « rosé ».

2. Faire pocher à couvert, pendant 2 minutes, dans une casserole de grandeur adaptée, les 12 figues fraîches recouver-

tes des 15 cl de vin rouge sucré des 2 cuillères à café rases d'aspartam. Faire réduire aux 3/4.

3. Mélanger à l'aide d'un fouet tous les ingrédients de la sauce d'accompagnement et la tenir au chaud (bain-marie).

4. Enlever la peau des canards. Lever les 4 filets et les **escaloper** en aiguillettes très fines dans le sens de la longueur.

Les disposer sur un plat chaud, les **napper** de la sauce obtenue et décorer avec les figues, ouvertes à l'aide d'un petit couteau d'office, et épanouies en forme de fleurs.

Aiguillettes de caneton au poivre vert

MARCHÉ POUR 4 PERSONNES

Ingrédients principaux

2 canetons de 1,500 kg (challans ou rouennais), de préférence étouffés
2 pommes reinettes
2 abricots

Ingrédients de la sauce d'accompagnement

4 cl d'armagnac
12 cl de vin blanc
4 cl de jus de rinçage de la boîte de poivre vert (le jus de conserve contenu dans la boîte étant trop violent)
12 cl de fond de canard dégraissé (*voir recette p. 68*)
20 g de poivre vert
20 g de poivron rouge en petits cubes (pimientos)

Ingrédients de liaison de la sauce

2 cl de fromage blanc 0 %
30 g de champignons
250 g de lait écrémé

Ustensiles de préparation et de présentation

1 plat ovale à rôti
2 casseroles
1 passoire
1 mixer
1 plat de service chaud

1. *Cuisson des canards :*
Rôtir les deux canards, sans les cuisses qui serviront pour une autre recette après avoir piqué la peau de la volaille

avec une fourchette pour éliminer, pendant la cuisson, l'excédent de graisse contenue dessous. Temps de cuisson 15 à 20 minutes à four très chaud (250 °C, thermostat 9-10). Le canard doit rester « rosé ».

2. *Préparation de la sauce :*
a) Pendant ce temps, faire réduire dans une casserole, jusqu'à évaporation presque totale, l'armagnac et le vin blanc (l'alcool, donc les calories, s'évapore laissant en substance le seul bouquet du vin).
Ajouter le jus de rinçage du poivre vert, le fond de canard, et laisser cuire doucement à faibles bouillons pendant 1/2 heure.
b) D'autre part, faire cuire 10 minutes dans une autre casserole les champignons dans le lait écrémé.
c) Passer ces champignons au mixer avec la moitié du lait de cuisson et le fromage blanc 0 % et mélanger à la première sauce *a)*.
d) Enfin, incorporer au tout *c)* les 20 g de poivre vert et les 20 g de poivron rouge.

3. *Présentation :*
— Enlever la **peau** des canards.
— Lever les 4 filets et les **escaloper** en aiguillettes très fines, dans le sens de la longueur.
— Les disposer sur un plat chaud, les **napper** de la sauce poivre vert obtenue. Décorer de 4 moitiés de pommes cuites simplement au four dans un plat mouillé d'une cuillère d'eau. (Orner les pommes avant de les mettre au four d'un demi-abricot frais ou de conserve « au naturel ».)

Pigeon grillé à la crème d'ail

MARCHÉ POUR 4 PERSONNES

Ingrédients principaux
4 pigeons

Ingrédients de la garniture de légumes
80 g de petits oignons « grelots »
1 carotte moyenne
50 g de céleri-branche
150 g d'épinards
80 g de haricots verts
1 cuillère à café de beurre
4 cuillères à soupe d'eau
2 cuillères à café rases d'aspartam

Sauce d'accompagnement
12 cuillères à soupe de sauce à la crème d'ail (*voir recette p. 146*).

Ustensiles de préparation et de présentation
1 grand couteau
1 couteau batte
2 casseroles
1 gril
4 grandes assiettes plates chaudes

1. Préparer la sauce crème d'ail (*voir recette p. 146*) et la tenir au chaud.

2. Pour les pigeons, comme pour griller à la crapaudine : les ouvrir par le dos en glissant à l'intérieur et le long de la colonne vertébrale la lame d'un gros couteau, avec laquelle on fend l'animal. Cette colonne vertébrale est totalement supprimée et la volaille bien aplatie à l'aide d'une « batte ». Les extrémités des pilons sont rentrées dans 2 incisions faites de chaque côté des flancs (vous pouvez aussi demander à votre volailler de réaliser cette préparation).

3. *Préparation des légumes :*
— Éplucher les légumes. Tailler la carotte et le céleri-branche en bâtonnets de 4 cm de longueur × 4 mm d'épaisseur. Couper les haricots en 2.
Cuire tous les légumes à l'eau salée bouillante :
— petits oignons « grelots » : 15 minutes,
— carotte, céleri : 10 minutes,
— haricots verts, épinards : 4 minutes.
Les égoutter (sauf les épinards).

4. « *Glaçage* » *des légumes :*
— Faire chauffer la cuillère à café de beurre dans la casserole.
— Y faire sauter rapidement tous les légumes (sauf les épinards).
— Mouiller des 4 cuillères à soupe d'eau dans lesquelles on aura fait fondre, au préalable, les 2 cuillères à café rases d'aspartam.
— Mélanger délicatement le tout à l'aide d'une fourchette et laisser s'évaporer lentement le liquide.
— Mettre à feu doux jusqu'à ce qu'il enduise les légumes d'une couche sirupeuse et luisante.
5. Sur un gril bien chaud, mettre les pigeons à griller, 5 minutes sur chaque face. Saler et poivrer.
Au terme de cette cuisson, les dépouiller de leur peau (facultatif), lever les cuisses et les ailes, **escaloper** finement le blanc des ailes.

6. *Dressage sur assiette :*
Égoutter les épinards et en faire 4 petites galettes rondes que l'on dispose chacune sur le côté d'une assiette, après les avoir décorées des légumes « glacés ».
À côté, reconstituer les pigeons grillés « en crapaudine » et **napper** tout autour de la sauce à la crème d'ail.
Décorer avec la tête des pigeons fendue en 2 et posée côté ouvert sur les ailes escalopées.

N.B. La sauce à la crème d'ail peut être heureusement remplacée par la sauce à la pomme (*voir recette p. 147*).

Pigeon en soupière

MARCHÉ POUR 2 PERSONNES

Ingrédient principal

1 jeune pigeon

Ingrédients de cuisson

80 g de cœur de laitue

50 g de mini-carottes en bâtonnets ou **tournées** en forme de grosses olives

16 g de céleri-branche en bâtonnets **(julienne)**

20 g de tout petits champignons de Paris

15 g de haricots verts

20 g de gros dés de fond d'artichaut

30 g de cèpes crus

10 g de petits pois

8 g de truffes en bâtonnets **(julienne)**. On peut les remplacer par des morilles séchées

Ingrédients de la sauce d'assaisonnement

8 cuillères à soupe de fond de volaille (*voir recette p. 68*) ou bouillon de volaille en tablettes

Sel, poivre

1 cuillère à soupe de sauce Périgueux (*voir recette p. 86*).

Ustensiles de préparation et de présentation

1 casserole

2 petites soupières individuelles en porcelaine blanche

2 ronds de papier aluminium diamètre 15 cm

1. Faire rôtir ou, mieux, pocher le pigeon pendant 7 minutes. Le laisser refroidir et détacher les ailes « suprêmes » et les cuisses de la carcasse.

2. Cuire à l'eau salée tous les légumes (sauf les cèpes, les champignons de Paris et la truffe) en les conservant un peu fermes.

3. *Préparation des soupières :*
— Disposer dans le fond de chaque soupière, la moitié des légumes, les champignons de Paris, les cèpes crus et les truffes, ces 3 derniers éléments vont, en cuisant pour la première fois, exprimer tout leur parfum.
— Ajouter dans chaque récipient, une aile de pigeon, **escalopée** en tranches assez épaisses, et la cuisse.
— Recouvrir du reste de légumes, ajouter la sauce Périgueux (facultatif) et le fond de volaille, équitablement répartis.

4. *Cuisson :*
— Recouvrir l'ouverture de chaque soupière d'un chapeau de papier aluminium, maintenu par une petite ficelle.
— Cuire à four chaud pendant 10 minutes (240 °C, thermostat 8).
— Servir en présentant la soupière « chapeautée » pour laisser à chaque convive la joie d'en recevoir les arômes à l'ouverture.

Baron de lapereau
à la vapeur d'hysope

MARCHÉ POUR 4 PERSONNES

Ingrédient principal

1 baron de lapereau : les 2 cuisses et les reins (le râble)

Ingrédients de cuisson

1/2 litre de fond de volaille (*recette p. 68*) ou bouillon de volaille en tablettes
5 branches d'hysope, ou si vous n'avez pas de jardin un mélange
(3 branches d'estragon + 2 branches de thym)
Sel, poivre

Ingrédients de la sauce

1 cuillère à café de glace de viande (*voir recette p. 67*)
1 cuillère à soupe de fromage blanc 0 %
1 cuillère à soupe de mousse de cresson (*voir recette p. 326*).

Ustensiles de préparation et de présentation

1 casserole avec sa grille à pieds (ou un couscoussier)
1 mixer
1 saucière

1. Dans la casserole à vapeur – ou le couscoussier – mettre à infuser à feu doux pendant 10 minutes, l'hysope et le fond de volaille.
2. Déposer le baron de lapereau sur la grille à pieds de la casserole, ou dans le récipient supérieur du couscoussier – assaisonné de sel et poivre et parsemé de quelques feuilles d'hysope.
Cuire à couvert dans cette vapeur pendant 20 minutes.

3. Au terme de la cuisson, retirer le lapereau et le tenir au chaud.

4. Broyer au mixer la mousse de cresson avec la glace de viande, le fromage blanc 0 %, 25 cl de bouillon de cuisson **(2)** et les feuilles d'hysope.

Vérifier l'assaisonnement de la sauce ainsi obtenue.

5. Escaloper – tailler en fines aiguillettes – le dos et les cuisses du lapin, reconstituer le baron, le présenter dans sa casserole de cuisson et servir la sauce à part en saucière.

Gâteau de lapin aux herbes et aux mirabelles

MARCHÉ POUR 5 PERSONNES

Ingrédients principaux

1 arrière-train de lapin (tout le râble et les cuisses), le faire désosser par le volailler

20 mirabelles (fraîches ou en conserve « au naturel »)

Ingrédients de la marinade

1 cuillère à soupe de persil

1 cuillère à soupe de cerfeuil ⎤

1 cuillère à soupe d'échalote ⎬ hachés

1 cuillère à café d'estragon ⎦

12 cl de vin blanc sec

Sel, poivre

Ingrédients de la cuisson

1/2 litre de fond de volaille (*voir recette p. 68*) ou bouillon de volaille en tablettes

1 cuillère à soupe d'alcool de mirabelle

4 feuilles de gélatine

Sauce d'accompagnement

Tomate concassée cuite (*voir recette p. 330*)

Ustensiles de préparation et de présentation

1 plat creux

1 casserole

1 terrine ovale en terre, largeur 30 cm, hauteur 10 cm, et son couvercle

1 saucière

1. Un jour avant, mettre à mariner le lapin désossé et coupé en 5 morceaux avec tous les ingrédients de la marinade.

2. Le lendemain, mettre les feuilles de gélatine à tremper dans l'eau froide pour les assouplir et les faire gonfler. Faire macérer les 20 mirabelles dans l'alcool blanc de mirabelle.

3. Égoutter les morceaux de lapin, verser la marinade dans une casserole, porter sur le feu et la faire réduire de la moitié de son volume pour en éliminer l'alcool. Ajouter les feuilles de gélatine égouttées et le fond de volaille. Bien mélanger.

4. Ranger les morceaux de lapin et les mirabelles dans la terrine, verser dessus le mélange **(3)**.

Saler, poivrer. Couvrir.

5. Cuire au bain-marie à four doux (180 °C, thermostat 5-6) pendant 2 h 30.

6. Laisser refroidir et garder au réfrigérateur pendant 24 h.

Présentation :

7. Présenter la terrine et servir à la cuillère en l'accompagnant de tomate fraîche concassée cuite, servie froide, en saucière à part.

Râble de lièvre aux betteraves

MARCHÉ POUR 2 OU 3 PERSONNES

Ingrédients principaux

1 râble de lièvre de 400 g environ (partie charnue des reins)
1 cuillère à café d'huile d'olive

Ingrédients de la marinade

1/4 de litre de vin rouge
1 petit bouquet garni (*voir p. 99*)
1 carotte ⎫
⎬ taillés en dés de 1 cm de côté
1/2 oignon ⎭
4 baies de genièvre
2 clous de girofle

Ingrédients de la garniture

200 g de betteraves rouges, cuites entières
1 cuillère à soupe de vinaigre de vin

Ingrédients de la sauce

6 cl de fond de veau (*voir recette p. 65*)
1 échalote hachée
1 cuillère à soupe de vinaigre de vin
1/2 cuillère à café de moutarde
1 cuillère à soupe de mousse de champignons (*voir recette p. 323*)
4 cuillères à soupe de lait écrémé

Ustensiles de préparation et de présentation

1 plat creux ovale
1 poêle antiadhésive
1 mixer

1. Dénerver le râble à l'aide d'un couteau très fin, retirer la peau qui recouvre entièrement les filets.

2. Le mettre à mariner 24 heures dans un plat creux de bonne dimension avec tous les ingrédients de la marinade.

3. Passé ce temps, égoutter le râble et l'éponger à l'aide d'un linge ou d'un papier absorbant.

4. Tamiser la marinade pour n'en recueillir que le jus.

5. Chauffer le plat creux avec l'huile d'olive, y saisir et colorer le râble uniformément en le retournant. Puis le cuire à four très chaud (250 °C, thermostat 9-10), 12 minutes.

6. Au terme de la cuisson **débarrasser** le râble du plat en le tenant au chaud pour que la viande continue de pocher (*voir technique des rôtis p. 38*).

Éliminer la matière grasse du plat, ajouter l'échalote hachée, la laisser « fondre » 1 minute et verser la cuillère de vinaigre en faisant bouillir pour faire fondre les sucs déposés au fond du plat. Réduire presque en totalité.

Mouiller avec la marinade tamisée, faire bouillir à nouveau et réduire des 3/4 du volume (pour en éliminer l'alcool).

7. Broyer au mixer la mousse de champignons, la moutarde, le fond de veau, le lait écrémé et la réduction de marinade **(6)**. Vérifier l'assaisonnement.

8. Couper les betteraves en fines rondelles, les faire sauter à la poêle antiadhésive en les mouillant de la cuillère de vinaigre qui va leur donner une belle couleur rubis **et** un goût parfait.

Lier l'ensemble de 2 cuillères à soupe de sauce **(7)**.

9. Décoller, à l'aide d'un couteau à lame mince et longue, les filets de viande du râble, les **escaloper** sur toute leur longueur en fines aiguillettes, les ranger en éventail sur les assiettes, les **napper** de sauce **(7)** bien chaude et disposer tout autour les tranches de betterave.

LES LÉGUMES

Purée-mousse de céleri au persil

MARCHÉ POUR 4 PERSONNES

Ingrédients principaux
500 g de céleri-rave
100 g de persil
1 l de lait écrémé
Sel, poivre

Ustensiles de préparation
1 casserole à fond épais
1 spatule en bois
1 écumoire à manche
1 mixer

1. Peler le céleri-rave, le couper en morceaux, les **blanchir** 2 minutes à l'eau salée bouillante afin d'en éliminer l'âcreté. Les égoutter.

2. Délayer dans la casserole le lait écrémé, saler, poivrer, faire bouillir et mettre à cuire à découvert les morceaux de céleri, à feu moyen pendant 30 minutes. Remuer de temps en temps avec la spatule en bois pour éviter qu'ils n'attachent.

3. Équeuter, laver et cuire le persil avec le céleri, 10 minutes avant la fin de cuisson de ce dernier.

4. Égoutter le céleri et le persil à l'aide d'une écumoire à manche, les broyer au mixer en y ajoutant un peu de lait de cuisson pour amener cette purée à consistance de mousse légère. Vérifier l'assaisonnement.

Tenir au chaud au bain-marie, avant emploi, pour service immédiat ou conserver au réfrigérateur.

Purée-mousse de poireaux

MARCHÉ POUR 4 PERSONNES

Ingrédients principaux

600 g de blanc de poireau

5 cl de fond de volaille (*voir recette p. 68*) ou bouillon de volaille en tablettes

8 g de sel

1 pointe de poivre

Ustensiles de préparation

1 casserole à fond épais

1 mixer

1 tamis de crin ou 1 passoire fine

1. Couper (**émincer**) les poireaux en rondelles. Les laver plusieurs fois à grande eau et les égoutter.

2. Dans la casserole faire suer à sec (évaporer l'eau de végétation) les blancs de poireau pendant 5 minutes.

3. Mouiller avec le fond de volaille, assaisonner de sel et poivre et cuire doucement à découvert pendant 30 minutes environ.

4. Broyer au mixer suffisamment longtemps pour éliminer tous les petits filaments.

S'ils ne se dissolvent pas, il est nécessaire de passer cette purée au travers d'un tamis de crin ou d'une passoire fine ; il y aura alors environ 20 % de perte.

5. Juste avant de servir on peut y incorporer 10 g de beurre cru ou « noisette » (le beurre « noisette » est chauffé vivement jusqu'à ce qu'il mousse, qu'il ne « chante » plus et prenne une belle teinte dorée).

Purée-mousse de chou-fleur

MARCHÉ POUR 4 PERSONNES

Ingrédients principaux
1 chou-fleur de 750 g (ou 500 g de chou-fleur nettoyé)
1 l de lait écrémé
Sel, poivre
1 petite pincée de noix de muscade râpée

Ustensiles de préparation
1 casserole inoxydable
1 écumoire à manche
1 mixer

1. Éplucher le chou-fleur :
Enlever les feuilles, sectionner les grosses côtes et tiges, pour ne laisser pratiquement que les têtes.
Les diviser en petits bouquets.
Laver à grande eau.
2. Mettre à cuire, 30 minutes, dans la casserole avec le lait écrémé, le sel et la noix de muscade, préalablement délayés dans le litre d'eau.
3. Au terme de la cuisson, égoutter le chou-fleur à l'aide d'une écumoire à manche, le broyer au mixer en ajoutant, si besoin est, un peu de lait de cuisson pour amener cette purée à consistance de mousse légère.
Vérifier l'assaisonnement.
4. Tenir au chaud, au bain-marie, pour service immédiat, ou conserver au réfrigérateur avant emploi.

Purée-mousse de haricots verts

MARCHÉ POUR 4 PERSONNES

Ingrédients principaux
500 g de haricots verts frais
1 cuillère à café de beurre
1 litre 1/2 d'eau
35 g de gros sel

Ustensiles de préparation
1 casserole inoxydable
1 écumoire à manche
1 mixer

1. Éplucher les haricots verts, les rincer à l'eau fraîche et les jeter dans l'eau de cuisson bouillante salée.
Les cuire à découvert 10 minutes à gros bouillons.
Les égoutter et les rafraîchir 15 secondes à l'eau froide.
Les égoutter à nouveau et les broyer au mixer jusqu'à obtention d'une purée homogène. Ajouter un peu de liquide de cuisson si besoin est.
2. Verser cette purée dans une casserole, y ajouter la cuillère de beurre, elle fondra au contact de la chaleur de l'ensemble.
3. Vérifier l'assaisonnement et tenir au chaud au bain-marie, pour service immédiat ou conserver au réfrigérateur.

Purée-mousse de poires aux épinards

MARCHÉ POUR 4 PERSONNES

Ingrédients principaux
400 g d'épinards frais
100 g de poires
1 litre 1/2 d'eau
35 g de gros sel
Poivre

Ustensiles de préparation
1 casserole
1 écumoire à pieds
1 mixer

1. Éplucher, épépiner et pocher 15 minutes les poires dans de l'eau bouillante.

2. Équeuter et cuire les épinards 3 minutes, à l'eau fortement salée (20 g au litre).
Les rafraîchir à l'eau glacée puis les égoutter.

3. Broyer au mixer les épinards et les poires.

Vérifier l'assaisonnement.
Il est préférable de préparer cette mousse juste avant emploi pour lui conserver sa belle couleur vert tendre.

Purée-mousse de carottes

MARCHÉ POUR 4 À 6 PERSONNES

Ingrédients principaux
650 g de carottes
2 litres d'eau
20 g de gros sel
1 pointe de poivre
1 cuillère à café de beurre « noisette » (facultatif)

Ustensiles de préparation
1 casserole
1 mixer

1. Éplucher les carottes à l'aide d'un couteau économe. Les couper en quatre.

2. Les mettre à cuire dans la casserole avec l'eau et le sel pendant 20 minutes.

3. Les égoutter et les broyer au mixer.

4. Mettre la purée à réchauffer dans la casserole, ajouter le poivre et facultativement le beurre « noisette » (*voir technique p. 317*)

Purée-mousse de cresson et d'oseille

MARCHÉ POUR 2 À 3 PERSONNES

Ingrédients principaux
2 bottes de cresson
200 g d'oseille fraîche
3 cuillères à café rases d'aspartam
2 cuillères à soupe de vinaigre de vin
Sel, poivre
1 cuillère à café de crème fraîche (facultatif)

Ustensiles de préparation
1 casserole à fond épais et son couvercle
1 spatule en bois
1 mixer

1. Équeuter l'oseille et le cresson.
Laver à l'eau courante. Essorer dans un linge.
2. Chauffer une casserole, y mettre l'oseille et le cresson, faire suer (cuire doucement) en remuant à l'aide d'une spatule en bois jusqu'à complète évaporation de l'eau de végétation.
3. Ajouter les 3 cuillères à café rases d'aspartam, le vinaigre de vin, sel et poivre.
Continuer de cuire à couvert pendant 5 minutes, puis broyer au mixer.
Pour le service on peut **lier** cette purée aigre-douce d'une cuillère à café de crème fraîche.

Purée-mousse de champignons

MARCHÉ POUR 4 PERSONNES

Ingrédients principaux
420 g de champignons de Paris
1 litre 1/4 de lait écrémé
6 g de sel
1 pointe de poivre
1 soupçon de noix de muscade râpée
1 cuillère à soupe de jus de citron

Ustensiles de préparation
1 casserole
1 mixer

1. Éliminer la partie sableuse des pieds des champignons, procéder comme pour tailler un crayon.
Il en reste environ 330 g.
Les laver à grande eau en les frottant entre les mains.
2. Les égoutter et les passer rapidement dans le jus de citron qui les empêchera de noircir.
3. Faire chauffer le lait écrémé dans la casserole, ajouter les champignons coupés en 2, sel, poivre et muscade.
Cuire à feu moyen pendant 20 minutes à découvert.
4. Égoutter les champignons et les broyer très fin au mixer.
Détendre avec 15 cl du lait de cuisson.
Vérifier l'assaisonnement.
(Garder le reste du lait de cuisson qui, dans certains cas, peut avantageusement remplacer le fond de volaille.)

UTILISATION : Cette mousse entre comme élément de liaison dans un grand nombre de nos recettes minceur.

323

Purée-mousse d'artichauts

MARCHÉ POUR 4 PERSONNES

Ingrédients principaux
6 artichauts de 300 g chacun environ
1 litre 1/2 d'eau
1 citron
1 cuillère à café de crème fraîche
35 g de gros sel, poivre

Ustensile de préparation
1 grande casserole inoxydable, diamètre 50 cm, hauteur 20 cm

1. Arracher la queue des artichauts et les mettre à cuire 45 minutes dans de l'eau salée et citronnée.

2. Les faire refroidir, les dépouiller de leurs feuilles et du foin intérieur.

3. Les fonds, ainsi mis à nu, sont coupés en 4, broyés au mixer avec la crème fraîche et 15 cl de l'eau de cuisson.

Vérifier l'assaisonnement.

Note de l'auteur :
Pour cette recette, il est à mon avis préférable de cuire les fonds d'artichaut enrobés de leurs feuilles pour conserver la quintessence de leur goût profond.

Purée-mousse d'oignons

MARCHÉ POUR 4 PERSONNES

Ingrédients principaux
800 g d'oignons
1 litre de fond de volaille (*recette p. 68*) ou bouillon de volaille en
 tablettes
8 g de sel
1 pointe de poivre

Ustensiles de préparation
1 casserole
1 mixer

1. Éplucher les oignons.
Les couper en 4 et les mettre à cuire à feu moyen dans le
fond de volaille pendant 25 minutes. Saler et poivrer.
2. Bien égoutter les oignons, les broyer au mixer.
3. Remettre cette purée dans la casserole et la faire réduire
de 1/3 de son volume.
(Le bouillon de cuisson pourra servir à un autre emploi :
soupe, etc.)

Purée-mousse de cresson

MARCHÉ POUR 3 À 4 PERSONNES

Ingrédients principaux
4 bottes de cresson
1 litre 1/2 d'eau
20 g de gros sel
1/2 cuillère à café de jus de citron
1 cuillère à café de crème

Ustensiles de préparation
1 casserole inoxydable
1 mixer

1. Équeuter le cresson et le laver à l'eau fraîche. Il en reste environ 250 g.

2. Faire bouillir l'eau additionnée du gros sel dans la casserole et plonger **(blanchir)** le cresson dedans 3 minutes.

3. L'égoutter et le tremper très rapidement dans de l'eau glacée pour stopper sa cuisson.

4. Le ressortir et le broyer immédiatement au mixer.

5. Verser la purée obtenue dans la casserole inoxydable pour la réchauffer, ajouter le jus de citron et la cuillère à café de crème fraîche.

Note de l'auteur :
Servie telle quelle, la mousse de cresson conserve sa belle couleur vert tendre ; employée quelques heures plus tard, sa teinte s'affadit et vire au vert jaunâtre.

Marmelade d'oignons au jerez

MARCHÉ POUR 4 PERSONNES

Ingrédients principaux
1 kg d'oignons
4 cuillères à café rases d'aspartam
8 g de sel
2 g de poivre
1 cuillère à café d'huile d'olive
4 cuillères à soupe de vinaigre de Jerez

Ustensiles de préparation
1 casserole à fond épais et son couvercle

1. Éplucher et couper les oignons en fines lamelles.
2. Chauffer l'huile d'olive dans la casserole, ajouter les oignons, les 4 cuillères à café rases d'aspartam, sel et poivre.
3. Refermer le couvercle et laisser colorer doucement en surveillant et en remuant de temps à autre avec une cuillère en bois.
4. À mi-cuisson des oignons – 3/4 d'heure – verser le vinaigre de Jerez et finir de cuire 3 autres quarts d'heure à feu doux en remuant.
Cette marmelade d'oignons doit « confire » tout doucement.
On peut l'agrémenter de fruits secs que l'on met à tremper et gonfler à l'eau après les avoir lavés (raisins de Smyrne, pruneaux, abricots, etc.).

Oignons Tante Louise

MARCHÉ POUR 4 PERSONNES

Ingrédients principaux

8 oignons moyens
12 cl de fond de volaille (*voir recette p. 68*) ou de bouillon de volaille
en tablettes
1 litre 1/2 d'eau
35 g de sel

Ingrédients de garniture

250 g de courgettes
60 g de cèpes frais (ou de conserve « au naturel »)
1 petit bouquet garni (*voir p. 99*)
1 cuillère à café d'huile d'olive
Sel, poivre

Ingrédients de liaison

1 œuf entier
6 cl de lait écrémé

Sauce d'accompagnement

25 cl de sauce coulis de tomates fraîches (*voir recette p. 142*)

Ustensiles de préparation et de présentation

1 casserole à fond épais et son couvercle
1 cuillère à café
1 petit saladier
1 spatule en bois
4 assiettes plates chaudes

1. Éplucher les courgettes à l'aide d'un couteau économe.
Les couper grossièrement et les faire revenir dans la casserole avec l'huile d'olive, ajouter les cèpes et le bouquet
garni. Assaisonner de sel et poivre.

Cuire à couvert 15 minutes en remuant de temps à autre à l'aide d'une spatule en bois.

2. Ébouillanter 20 minutes dans l'eau salée les oignons (épluchés entiers).

Les rafraîchir et les évider avec une petite cuillère à café pour y creuser une cavité intérieure.

3. Au terme de la cuisson **(1)**, retirer les cèpes que l'on hache en petits morceaux ; les courgettes sont réduites en purée au mixer.

4. Battre l'œuf à la fourchette, ajouter le lait écrémé, la purée de courgettes et le hachis de cèpes.

Assaisonner et garnir les oignons évidés de ce mélange.

5. Les ranger dans un plat allant au four, verser dessus les 12 cl de bouillon de volaille et cuire à four moyen (220 °C, thermostat 7), pendant 20 minutes.

6. Pour le service, recouvrir le fond des assiettes de la sauce coulis de tomates fraîches bien chaude et déposer les oignons farcis dessus.

Tomate fraîche concassée

MARCHÉ POUR 4 PERSONNES

Ingrédients principaux

1,500 kg de tomates
2 échalotes finement hachées
2 gousses d'ail entières non épluchées
1 bouquet garni
Sel, poivre
1 cuillère à café d'huile d'olive

Ustensiles de préparation

2 casseroles
1 récipient en terre ou en inox

TOMATE CONCASSÉE CRUE

1. Enlever le pédoncule – la petite queue du fruit – des tomates.

2. Faire bouillir une casserole d'eau et les y plonger 15 secondes.

3. Les sortir de la casserole et les plonger dans l'eau très froide – continuer de faire couler l'eau du robinet dessus – pour arrêter la cuisson. Cette opération n'a pour but que de faciliter le pelage de la peau et non pas de cuire la tomate.

4. Peler les tomates, et les couper en deux pour en faire sortir l'eau de végétation et les pépins en pressant chaque moitié avec la main.

Hacher grossièrement la chair avec un couteau et assaisonner légèrement de sel et poivre.

On peut aussi les détailler en petits dés.

TOMATE CONCASSÉE CUITE

5. Déposer la tomate concassée crue dans la casserole où l'on aura fait doucement étuver l'échalote dans l'huile d'olive. Y ajouter les gousses d'ail non épluchées, le bouquet garni ; rectifier l'assaisonnement.

6. Cuire pendant 30 minutes jusqu'à évaporation de l'eau de végétation.

7. Enlever les gousses d'ail ; **débarrasser** dans un récipient en terre ou en inox et mettre au froid, en attendant l'emploi.

Émincé de poireaux à la menthe sauvage

MARCHÉ POUR 2 OU 3 PERSONNES

Ingrédients principaux
600 g de blanc de poireau
10 g de menthe sauvage hachée
2 feuilles de menthe ciselées
5 cl de fond de volaille (*voir recette p. 68*) ou bouillon de volaille en tablettes ou vin blanc
5 g de sel
1 pointe de poivre

Ustensile de préparation
1 casserole à fond épais et son couvercle

1. Trancher en fines rondelles les blancs de poireau. Les laver à grande eau et les égoutter.

2. Faire chauffer dans la casserole les poireaux émincés et les 10 g de menthe hachée.

Faire suer à sec (éliminer l'eau de végétation) pendant 5 minutes, en remuant pour ne pas laisser attacher.

3. Verser le fond de volaille ou le vin blanc et assaisonner de sel et poivre.

4. Laisser « compoter » – cuire doucement – pendant 30 minutes environ.

5. Au moment de servir, décorer des 2 feuilles de menthe ciselées.

Confit Bayaldi

MARCHÉ POUR 4 PERSONNES

Ingrédients principaux
200 g de courgettes
360 g de tomates
240 g d'aubergines
180 g de champignons de Paris
1/2 cuillère à café de fleur de thym
2 cuillères à café d'huile d'olive
1/2 gousse d'ail hachée
6 g de sel, une pointe de poivre

Ustensiles de préparation
4 petits plats ronds en fonte de 14 cm de diamètre
1 feuille de papier aluminium

1. Éplucher à l'aide d'un couteau économe les courgettes et aubergines, en prenant soin de leur laisser des côtés ou bandes de peau non épluchées de 1 cm de largeur, afin de réaliser un effet de couleur. Les trancher en rondelles de 2 mm d'épaisseur.

2. Nettoyer et peler les champignons, les couper en lamelles de 2 mm.

3. Trancher les tomates (sans les peler) en rondelles de 5 mm d'épaisseur.

4. Disposer tous ces légumes dans les plats en les intercalant, et en ayant soin de mélanger leurs couleurs. (Ex. : aubergines, champignons, tomates, courgettes.)

5. Arroser chaque plat de 1/2 cuillère à café d'huile d'olive, saupoudrer de fleur de thym, d'ail haché, sel et poivre. Recouvrir de papier aluminium.

6. Mettre à four moyen (200 °C, thermostat 6) et laisser confire tout doucement pendant 30 minutes.

Confiture de légumes de Maman Guérard

MARCHÉ POUR 4 PERSONNES

Ingrédients principaux
200 g de petits pois extra-fins de conserve
ou
200 g de petits pois frais écossés
2 laitues
1 carotte moyenne
1 cèpe moyen (frais ou de conserve « au naturel ») ou autre
  champignon
20 petits oignons « grelots »
1 cuillère à café d'huile d'olive
4 cuillères à café rases d'aspartam
12 cl de fond de volaille (*voir recette p. 68*) ou bouillon de volaille en
  tablettes

Ustensiles de préparation et de présentation
1 casserole inoxydable
1 cocotte en fonte

1. *Préparation des légumes :*
— Éplucher et tailler la carotte et le cèpe en petits dés de
1/2 cm de côté.
— Éplucher et effeuiller les laitues. Les laver à l'eau froide.
— S'ils sont frais, cuire les petits pois 5 minutes à l'eau salée
bouillante. Les égoutter.

2. *Cuisson des légumes :*
— Chauffer l'huile d'olive dans la cocotte. Y faire revenir les
dés de carottes, à couvert, 3 minutes sans colorer. Saler ; poivrer.

— Ajouter les petits oignons épluchés entiers et les dés de cèpe. Cuire à nouveau 3 minutes.

— Mettre en dernier lieu les petits pois, les cuillères à café rases d'aspartam, recouvrir l'ensemble des feuilles de laitue, mouiller avec le fond de volaille et assaisonner de sel et poivre.

— Laisser mijoter couvert et à feu doux, 1 h 15 ; veiller à ce que le niveau du liquide reste à peu près constant, en ajoutant de l'eau, au besoin.

3. Servir en présentant la cocotte sur la table et en enlevant le couvercle au tout dernier moment.

Note de l'auteur ·

Cette « confiture » de légumes est, dans l'esprit, à l'opposé des cuissons dites « al dente ».

Gratin de pommes du pays de Caux

MARCHÉ POUR 2 PERSONNES

Ingrédients principaux
1 pomme fruit de 100 g
1 artichaut entier de 300 g
1 abricot de 70 g (ou 2 oreillons d'abricot en conserve « au naturel »)
1 cuillère à café d'huile d'olive

Ingrédients de liaison
1 œuf entier
10 cl de lait écrémé
4 g de sel, 1 pointe de poivre et muscade

Ustensiles de préparation et de présentation
1 casserole à fond épais
4 petits plats ronds en fonte de 14 cm de diamètre

1. *Préparation des légumes :*
— Éplucher et évider la pomme.
— **Tourner** l'artichaut (c'est-à-dire le débarrasser de toutes ses feuilles à l'aide d'un petit couteau d'office), puis le cuire à l'eau salée, avec un jus de citron. Une fois cuit et refroidi, enlever le foin qui se trouve en son centre.
— **Blanchir** l'abricot.
— Tailler pomme, artichaut et abricot en cubes de 1 cm de section.

2. *Cuisson des légumes :*
— Prendre une casserole à fond épais, et faire chauffer sur le gaz avec la cuillère à café d'huile d'olive. Mettre les pommes fruits et aux 3/4 de leur cuisson (elles résistent encore un peu, quand on les pique avec une aiguille) y ajouter l'artichaut et l'abricot. Finir de cuire.

3. Préparer les ingrédients de **liaison** : battre l'œuf simplement à l'aide d'une fourchette pour casser la résistance du blanc d'œuf, ajouter le lait écrémé, sel, poivre, muscade.

4. Garnir le fond des plats en fonte, avec les dés de pomme, artichaut et abricot, recouvrir à hauteur avec la liaison **(3)**. Cuire à four moyen (220 °C, thermostat 7) pendant 15 minutes. Servir tel quel dans le plat.

N.B. Cette préparation rappelle un peu le « clafoutis » et accompagne les volailles comme le canard, le gibier comme le faisan.

Ratatouille niçoise

MARCHÉ POUR 4 PERSONNES

Ingrédients principaux
140 g de courgettes
140 g d'aubergines
160 g d'oignons
70 g de poivron vert
400 g de tomates
2 gousses d'ail écrasées
1 branche de thym
1/2 feuille de laurier
Sel, poivre
5 cl d'huile d'olive

Ustensiles de préparation et de présentation
1 poêle
1 terrine ou 1 plat ovale en terre
1 feuille de papier aluminium

1. Peler les courgettes à l'aide d'un couteau économe en laissant entre chaque partie épluchée une côte verte d'égale largeur non épluchée.
Les couper en deux dans le sens de la longueur ainsi que les aubergines (non épluchées).
Les trancher en rondelles, de 1/2 cm d'épaisseur.

2. Essuyer les tomates et leur retirer le pédoncule, les peler et les couper en huit.

3. Émincer les oignons en fines lamelles.

4. Faire chauffer une partie de l'huile d'olive dans une poêle et y faire colorer oignons, ail et poivron.
Opérer de même pour les aubergines puis les courgettes et les tomates. Saler, poivrer.

5. Verser le tout dans une terrine en terre ou un plat ovale en terre, en ajoutant thym et laurier et cuire à four moyen (200 °C, thermostat 6) recouvert d'un papier aluminium. Laisser « compoter » 30 minutes au four.

Servir chaud ou glacé.

LES DESSERTS

Sauce coulis de fraises, framboises ou cassis

MARCHÉ POUR 5 PERSONNES

Ingrédients principaux
200 g de fraises, framboises ou cassis
10 cl d'eau
9 cuillères à café rases d'aspartam
1 jus de citron

Ustensiles de préparation
1 casserole inoxydable
1 chinois-étamine
1 mixer
1 petite louche
1 récipient creux

1. Délayer les 9 cuillères à café rases d'aspartam avec les 10 cl d'eau. Les faire bouillir dans la casserole pour obtenir un sirop.
2. Broyer au mixer les fraises, les framboises ou le cassis. Passer la purée obtenue au travers du chinois-étamine en la foulant avec une petite louche pour mener à bien l'opération.
3. Mélanger la préparation précédente avec le sirop **(1)** et le jus de citron. Verser dans un récipient creux et conserver au réfrigérateur avant emploi.

UTILISATION : Pommes en surprise p. 359
Orange à l'orange p. 368
Melon en surprise p. 370
Blancs à la neige au coulis de cassis p. 376
Ananas glacé aux fraises des bois p. 378

Sauce coulis d'abricots

MARCHÉ POUR 5 PERSONNES

Ingrédients principaux
25 moitiés d'abricots frais
ou
25 oreillons d'abricots (en conserve « au naturel »)
6 cl d'eau
4 cuillères à café rases d'aspartam
1 gousse de vanille

Ustensiles de préparation
1 casserole à fond épais
1 mixer
1 récipient creux

1. Dans la casserole faire bouillir ensemble les abricots, l'eau, l'aspartam et la gousse de vanille.
Laisser réduire de 1/3 du volume pour obtenir une marmelade assez épaisse.
2. Enlever la gousse de vanille et broyer le tout au mixer. Verser dans un récipient et conserver au réfrigérateur avant emploi.

UTILISATION : Pommes à la neige p. 360
Tarte fine aux pommes chaudes p. 364

Sorbet citron au pamplemousse

MARCHÉ POUR 5 PERSONNES

Ingrédients principaux
1/2 litre d'eau
20 cuillères à café rases d'aspartam
3 « citrons verts »
1/2 blanc d'œuf

Élément de décor
1 pamplemousse

Ustensiles de préparation et de présentation
1 petite casserole
1 fouet
1 chinois-étamine
1 sorbetière électrique (facultatif)*
5 verres « flûtes » glacés au réfrigérateur

1. *12 heures avant :*
— Délayer les cuillères à café rases d'aspartam avec le 1/2 litre d'eau. Faire bouillir dans la casserole pour obtenir un sirop. Retirer du feu.
— Peler les 3 citrons verts à l'aide du couteau économe pour en récupérer les zestes.
— Exprimer le jus des 3 citrons.
— Ajouter jus et zestes au sirop et laisser infuser 12 heures.

2. *Confection du sorbet :*
— Battre de quelques coups de fouet le 1/2 blanc d'œuf jusqu'à ce qu'il devienne blanchâtre, l'incorporer au sirop de citron et verser le mélange dans la sorbetière après l'avoir passé au travers d'un chinois-étamine.

Le 1/2 blanc d'œuf va rendre l'ensemble plus mousseux (*voir p. 345*).

— Mettre la sorbetière en mouvement jusqu'à épaississement par le froid (20 minutes environ).

3. Peler à vif le pamplemousse, puis inciser à l'aide d'un petit couteau tranchant, le long des membranes intérieures de séparation, et sortir les quartiers ainsi mis à nu. Recueillir le jus.

4. Pour le service, emplir les « flûtes » de sorbet citron, façonné à la cuillère, en forme de dôme.

Décorer avec les quartiers du pamplemousse disposés en rosace et arroser de son jus.

* *La préparation des sorbets se fait d'ordinaire à la sorbetière électrique. Toutefois, si l'on ne dispose pas chez soi de cet appareillage moderne, on peut pour le remplacer utiliser le freezer du réfrigérateur où l'on mettra le mélange liquide à épaissir en prenant soin de le fouetter régulièrement à la fourchette pour obtenir une cristallisation uniforme au froid.*

Sorbet au melon

MARCHÉ POUR 5 PERSONNES

Ingrédients principaux
1 gros melon ou 2 petits
10 cl d'eau
10 cuillères à café rases d'aspartam

Éléments de décor
15 petites boules de melon
5 feuilles de menthe fraîche

Ustensiles de préparation et de présentation
1 petite casserole
1 cuillère à « pommes parisiennes » (facultatif)
1 chinois-étamine
1 mixer
1 sorbetière électrique (facultatif)
5 verres « flûtes » glacés au réfrigérateur

1. Délayer les cuillères à café rases d'aspartam avec les 10 cl d'eau. Faire bouillir dans la casserole pour obtenir un sirop. Retirer du feu et conserver au frais.

2. On aura pris soin de choisir des melons bien mûrs et très parfumés. Les couper en 2 et enlever graines et filaments contenus à l'intérieur.

3. À l'aide d'une cuillère à « pommes parisiennes » détacher de ces moitiés évidées 15 petites boules de melon qui serviront à la décoration, les rentrer au réfrigérateur. Enlever le restant de chair des melons, avec une cuillère à soupe et la broyer au mixer. On obtient environ 20 cl de purée. Passer au chinois-étamine (facultatif).

4. Délayer cette purée de melon au sirop refroidi **(1)**, verser l'ensemble dans la sorbetière et mettre en mouvement jusqu'à ce que le mélange épaississe par le froid (20 minutes environ) [*voir p. 345*].

5. Pour le service, remplir les « flûtes » de sorbet melon, façonné à la cuillère, en forme de dôme. Décorer avec les petites boules de melon piquées des feuilles de menthe fraîche.

Sorbet à la fraise ou à la framboise

MARCHÉ POUR 5 PERSONNES

Ingrédients principaux
300 g de fraises ou framboises équeutées
15 cl d'eau
10 cuillères à café rases d'aspartam
1 jus de citron

Ingrédients de décor
5 fraises ou 10 framboises non équeutées
5 feuilles de menthe fraîche

Ustensiles de préparation et de présentation
1 petite casserole
1 chinois-étamine
1 mixer
1 sorbetière électrique (facultatif)
5 verres « flûtes » glacés au réfrigérateur

1. Délayer les cuillères à café rases d'aspartam avec les 15 cl d'eau. Faire bouillir dans la casserole pour obtenir un sirop. Retirer du feu et conserver au frais.

2. On aura pris soin de choisir les fraises ou framboises bien mûres et très parfumées. Mettre de côté, au réfrigérateur, 5 belles fraises ou 10 framboises qui serviront à la décoration.

3. Enlever le pédoncule des fruits et les broyer au mixer. On obtient environ 40 cl de purée. Passer celle-ci au chinois-étamine (facultatif).

4. Délayer cette purée au sirop refroidi **(1)** et au jus de citron, verser l'ensemble dans la sorbetière et mettre en mouvement jusqu'à ce que le mélange s'épaississe par le froid (20 minutes environ) [*voir p. 345*].

5. Pour le service, remplir les « flûtes » de sorbet fraise ou framboise, façonné à la cuillère, en forme de dôme.

Décorer avec les fruits entiers conservés au réfrigérateur, piqués des feuilles de menthe fraîche.

Sorbet au thé

MARCHÉ POUR 4 PERSONNES

Ingrédients principaux

3 bonnes cuillères à soupe de thé de Chine

30 cl d'eau

17 cuillères à café rases d'aspartam

1 jus de citron

Éléments de décor

Paillettes de thé, obtenues à partir de l'infusion de base

4 feuilles de menthe fraîche

Ustensiles de préparation et de présentation

1 casserole et son couvercle

1 chinois-étamine

1 petit récipient plat (bac à glaçons)

1 sorbetière électrique (facultatif)

4 verres « flûtes »

1. Dans la casserole, délayer et faire bouillir les 30 cl d'eau avec les cuillères à café rases d'aspartam, retirer du feu, y ajouter le thé de Chine et laisser infuser 3 heures à couvert.

2. Passer 6 cl de cette infusion, et la verser dans un récipient plat que l'on rentre au freezer. Remuer de temps en temps à la fourchette jusqu'à la formation des paillettes.

3. Passer les 24 cl restants d'infusion de thé au travers du chinois-étamine, les verser dans la sorbetière avec le jus de citron et mettre en mouvement jusqu'à épaississement par le froid (15 minutes environ) [*voir p. 345*].

4. Pour le service, emplir les « flûtes » de sorbet au thé, façonné à la cuillère en forme de dôme. Parsemer le sommet des paillettes de thé cristallisées et piquer d'une feuille de menthe.

Granité de chocolat amer

MARCHÉ POUR 4 PERSONNES

Ingrédients principaux
40 cl de lait écrémé
30 cuillères à café rases d'aspartam
60 g de cacao en poudre non sucré
1/2 gousse de vanille
1 cuillère à soupe de crème fraîche

Éléments de décor
Paillettes de café obtenues à partir de :
6 cl d'eau
1/2 cuillère à café de poudre de café soluble
2 cuillères à café rases d'aspartam

Ustensiles de préparation et de présentation
1 casserole
1 fouet
1 sorbetière électrique (facultatif)
5 verres « flûtes » glacés au réfrigérateur

1. Délayer ensemble avec 1 petit fouet le lait écrémé et la poudre de cacao non sucré.
Faire bouillir le mélange dans la casserole en y ajoutant les 30 cuillères à café rases d'aspartam et la demi-gousse de vanille.
Retirer du feu et conserver au frais.
2. Préparer les paillettes de café : diluer dans les 6 cl d'eau les 2 cuillères à café rases d'aspartam et la demi-cuillère de café soluble. Mettre au freezer dans un petit récipient plat et remuer de temps en temps à l'aide d'une fourchette jusqu'à formation des paillettes.

3. Ajouter la cuillère de crème fraîche au mélange **(1)**, bien fouetter l'ensemble, verser dans la sorbetière et mettre en mouvement jusqu'à épaississement par le froid (20 minutes environ) [*voir p. 345*].

4. Pour le service, remplir les « flûtes » de glace chocolat **(3)** façonnée à la cuillère, en forme de dôme. Parsemer le sommet des paillettes de café cristallisées.

Petits pots de crème à l'orange

MARCHÉ POUR 4 PERSONNES

Ingrédients principaux
30 cl de lait écrémé
20 cuillères à café rases d'aspartam
2 œufs entiers

Ingrédients de garniture
1 orange

Ustensiles de préparation et de présentation
2 petits saladiers
1 petite casserole
1 petit fouet
1 chinois-étamine
4 petits pots en terre ou porcelaine, diamètre 9 cm, hauteur 4 cm
1 bain-marie

1. Peler l'orange à l'aide d'un couteau économe.
Cuire les pelures-zestes à l'eau bouillante pendant 10 minutes.
Les égoutter et les hacher finement en très petits cubes.

2. Dans le premier saladier délayer à froid le lait et l'aspartam.

3. Dans l'autre saladier, battre les œufs entiers, les verser sur le mélange **(2)**, passer le tout au travers d'un chinois-étamine et ajouter les zestes d'orange.
Remplir les petits pots de cette préparation et cuire 1 heure au bain-marie, à four doux (150 °C, thermostat 4).
Mettre à refroidir.

4. Pendant ce temps, finir de peler l'orange à vif :
À l'aide d'un petit couteau tranchant, enlever la peau blan-che restante, puis inciser le long des membranes intérieures de séparation et sortir les quartiers ainsi mis à nu.
Recueillir, dans un bol, le jus qui coule pendant l'opération.
5. Pour le service, démouler chaque petit pot de crème sur une assiette, en décorer le dessus avec des quartiers d'orange disposés en rosace, arroser du jus recueilli.
Servir très frais.

Petits pots de crème aux fruits frais

Variation de la recette : les petits pots de crème aux fruits frais se font de la même façon que les petits pots de crème à l'orange en remplaçant les zestes d'orange par des fruits frais de saison (fraises, framboises, cerises, poires...), taillés en petits dés de 1/2 cm de section et en décorant le dessus du flan, du même fruit entier (fruits rouges) ou en fines tranches (poires, etc.).

Petits pots de crème au café

MARCHÉ POUR 4 PERSONNES

Ingrédients principaux
30 cl de lait écrémé
20 cuillères à café rases d'aspartam
2 œufs entiers
5 g de poudre de café soluble

Éléments de décor
Paillettes de café obtenues à partir de :
6 cl d'eau
1/2 cuillère à café de poudre de café soluble
2 cuillères à café rases d'aspartam

Ustensiles de préparation et de présentation
2 petits saladiers
1 petit récipient plat
1 petit fouet
1 chinois-étamine
4 petits pots en terre ou porcelaine, diamètre 9 cm, hauteur 4 cm
1 bain-marie

1. Préparer les paillettes de café : délayer dans les 6 cl d'eau les 2 cuillères à café rases d'aspartam et la demi-cuillère de café soluble. Mettre au freezer dans un petit récipient plat et remuer de temps en temps à la fourchette jusqu'à formation des paillettes.

2. Dans l'un des petits saladiers, délayer à froid dans les 30 cl de lait écrémé le café soluble et les cuillères à café rases d'aspartam.

3. Dans l'autre petit saladier, battre les œufs entiers puis les verser sur le mélange **(2)** et passer le tout au travers d'un chinois-étamine.

Remplir les petits pots de cette préparation et cuire 1 heure au bain-marie, à four doux (150 °C, thermostat 4). Mettre à refroidir.

4. Pour servir, on peut soit les démouler sur assiette, soit les présenter dans les petits pots.

Dans les deux cas, on les parsème au dernier moment des paillettes de café. Servir très frais.

Compote de pommes à l'abricot

MARCHÉ POUR 2 PERSONNES

Ingrédients principaux
3 pommes, reinettes grises si possible
4 abricots frais ou
8 oreillons (en conserve « au naturel »)
3 cuillères à café rases d'aspartam
1 cuillère à soupe d'eau

Ustensiles de préparation et de présentation
1 casserole à fond épais et son couvercle
1 mixer
1 petit compotier

1. Peler, évider et couper les pommes en quatre.

2. Dans la casserole, verser la cuillère à soupe d'eau, ajouter les 3 cuillères à café rases d'aspartam, les pommes et 4 moitiés d'abricot.
Faire cuire à couvert 15 minutes.

3. Pendant ce temps couper les 4 autres moitiés d'abricot en petits dés de 1/2 cm de section.

4. Après cuisson, broyer les pommes et abricots **(2)** au mixer. Vider dans un petit compotier et y mélanger les dés d'abricot **(3)**.
Rafraîchir au réfrigérateur avant de servir.

Pommes en surprise

MARCHÉ POUR 2 PERSONNES

Ingrédients principaux

2 pommes fruits (reinettes grises ou calvilles de préférence)
1 assortiment de trois ou quatre fruits frais selon la saison (fraises, melon, pêches, figues, mangues, oranges, pamplemousses, etc.)
1 jus de citron
4 feuilles de menthe fraîche

Sauce d'accompagnement

10 cl de sauce coulis de framboises ou cassis (*voir recette p. 342*)

Ustensiles de préparation et de présentation

1 petite cuillère à « pommes parisiennes »
2 assiettes à dessert froides

1. Décapiter les pommes, en conserver le chapeau.

2. Évider l'intérieur à l'aide d'une petite cuillère à « pommes parisiennes » pour en faire de petites boules bien régulières. Mettre celles-ci à macérer avec les chapeaux dans le jus de citron.

3. Garnir les coques évidées des pommes avec les fruits frais (coupés ou entiers selon leur taille) mélangés aux petites boules de pomme.

4. Dresser les pommes ainsi fourrées sur assiette, arroser l'intérieur et le tour de sauce à la framboise, recouvrir du chapeau piqué de 2 feuilles de menthe.

Servir très frais.

Pommes à la neige

MARCHÉ POUR 4 PERSONNES

Ingrédients principaux
4 pommes (reinettes grises de préférence)
2 blancs d'œufs
6 cuillères à café rases d'aspartam
1 citron
1 feuille de gélatine (2 g)
8 feuilles de menthe fraîche

Sauce d'accompagnement
15 cl de sauce coulis d'abricots glacé (*voir recette p. 343*)

Ustensiles de préparation et de présentation
1 plat creux
1 casserole
2 petits saladiers
1 fouet à blanc
1 mixer
4 assiettes plates froides

1. Dans un plat, mouillé d'une mince pellicule d'eau pour les empêcher d'attacher, cuire 30 minutes à four moyen (200 °C, thermostat 6) les pommes entières et non pelées.

2. Mettre à tremper la feuille de gélatine dans de l'eau froide pour l'assouplir et la faire gonfler.

3. Peler le citron avec le couteau économe, hacher finement les pelures-zestes, les cuire à l'eau bouillante pendant 15 minutes et les égoutter. Presser le citron, conserver son jus.

4. Au terme de leur cuisson, décapiter les pommes, réserver leurs chapeaux et creuser celles-ci pour en récupérer la chair. La passer au mixer avec 3 cuillères à café rases d'aspartam, la feuille de gélatine égouttée et le jus de citron. Verser dans l'un des saladiers. **Réserver** les pommes évidées.

5. Battre les 2 blancs d'œufs en neige avec les 3 autres cuillères à café rases d'aspartam dans le second saladier.

6. Incorporer délicatement les blancs montés et les zestes **(3)**, au mélange **(4)**, en garnir les pommes à l'aide d'une cuillère à soupe, coiffer des chapeaux et mettre à glacer 1 heure au réfrigérateur.

Présentation :

7. Déposer chaque pomme au milieu d'une assiette, entourer de sauce coulis d'abricots et piquer les chapeaux de 2 feuilles de menthe fraîche.

Clafoutis aux pommes d'Aurélia

MARCHÉ POUR 6-8 PERSONNES

Ingrédients principaux
25 cl de lait écrémé
15 cuillères à café rases d'aspartam
1 gousse de vanille
4 pommes
1/2 banane
2 œufs entiers
2 blancs d'œufs
3 cuillères à soupe d'huile d'arachide
3 cuillères à soupe rases de farine
1/2 sachet de levure chimique
1/2 citron

Ustensiles de préparation et de présentation
2 petits saladiers
1 fouet
6-8 petits plats (genre plats à œufs) en fonte ou porcelaine à feu
blanche de 12 cm de diamètre

1. Délayer les 25 cl de lait écrémé et les 15 cuillères à café rases d'aspartam. Le sucre doit être parfaitement dissous. Faire bouillir ce mélange avec la gousse de vanille. Laisser tiédir.

2. Éplucher les pommes et les couper en quartiers de 1/2 cm d'épaisseur. Les mettre à macérer en saladier avec la 1/2 banane coupée en rondelles, dans le jus du 1/2 citron.

3. Dans le second saladier, battre légèrement au fouet les œufs entiers et les blancs pour rompre leur résistance ; incorporer l'huile d'arachide et la préparation **(1)**.

En dernier lieu, ajouter, en continuant de fouetter, la levure et la farine.

4. Répartir les quartiers de pomme citronnés **(2)** dans le fond des petits plats ronds.

Verser dessus le mélange **(3)**.

5. Cuire en deux étapes :

a) pendant 10 minutes à four chaud (240 °C, thermostat 8) ;

b) pendant 20 minutes à four doux (180 °C, thermostat 5-6).

Servir dans les plats au sortir du four

Tarte fine aux pommes chaudes

MARCHÉ POUR 4 PERSONNES

Ingrédients principaux de la pâte brisée
125 g de farine
80 g de beurre
1 cuillère à soupe d'eau froide
1 pincée de sel

Ingrédients de la garniture
4 pommes de taille moyenne
8 cl de sauce coulis d'abricots (*voir recette p. 343*)

Ustensiles de préparation et de présentation
1 mixer
1 rouleau à pâtisserie
1 plaque en tôle
4 assiettes plates chaudes

1. *Préparation de la pâte :*
— Préparer la pâte brisée en mélangeant au mixer la farine, le beurre, l'eau et le sel.
— Retirer du mixer avant que le mélange ne le bloque et poser ce dernier à plat sur la table.
— L'écraser plusieurs fois sous la paume de la main jusqu'à obtention d'une pâte homogène.
— La pétrir en boule, l'aplatir légèrement et la mettre à reposer 30 minutes au réfrigérateur dans une poche en plastique.

2. Diviser la pâte brisée en 4 parties égales, en faire 4 petites boules et les aplatir au rouleau à pâtisserie pour en former 4 ronds de 12 cm de diamètre chacun.

3. Éplucher les pommes, les détailler en quartiers de 1/2 cm d'épaisseur et les ranger en rosace sur les ronds de pâte brisée de manière à les recouvrir complètement et ne pas laisser de bords dépasser.

4. Déposer les ronds ainsi garnis sur la plaque en tôle du four et les cuire 20 minutes (220 °C, thermostat 7).

5. Sortir du four, **napper** les tartes de la sauce coulis d'abricots et servir aussitôt sur assiettes chaudes.

Fruits au vin rouge de Graves

MARCHÉ POUR 4 PERSONNES

Ingrédients principaux

Un assortiment des fruits frais de la saison : poire, pêche, raisins, orange, cerises, fraises, framboises, melon, groseilles, etc.
30 cl de vin rouge de Graves (bordeaux)
15 cl d'eau
8 cuillères à café rases d'aspartam
1 gousse de vanille
8 feuilles de menthe fraîche

Ustensiles de préparation et de présentation

1 casserole
1 compotier
4 verres ballons « glacés » au réfrigérateur

1. Dans la casserole faire bouillir et réduire de moitié le vin rouge (pour en éliminer le maximum d'alcool).

Ajouter l'eau, l'aspartam et la gousse de vanille ouverte.

Redonner un bouillon et mettre à refroidir.

2. Peler à vif la peau des fruits : poire, pêche, orange, melon, etc. Détailler les plus gros en quartiers de lune. Laisser les petits entiers : fraises, framboises, cerises, etc. Les mélanger tous dans un compotier et laisser macérer dans leur jus 1 heure au réfrigérateur.

3. Pour servir, remplir à moitié les verres ballons des fruits rafraîchis et verser dessus le sirop de vin rouge **(1)**.

Décorer des feuilles de menthe fraîche et de la gousse de vanille coupée en quatre.

Bananes en papillote

MARCHÉ POUR 4 PERSONNES

Ingrédients principaux

4 petites bananes bien mûres
8 cuillères à soupe de sauce coulis d'abricots (*voir recette p. 343*)
2 gousses de vanille
4 gouttes d'essence d'amandes amères (facultatif)
8 cuillères à café rases d'aspartam
6 cl d'eau

Ustensiles de préparation et de présentation

1 petite casserole
1 petit fouet
4 feuilles de papier aluminium 25 cm x 15 cm
4 assiettes plates chaudes

1. Faire chauffer la casserole et porter à ébullition l'eau et l'aspartam. Retirer du feu, ajouter la sauce coulis d'abricots et l'essence d'amande amère (facultatif). Mélanger à l'aide du fouet.

2. Façonner chaque feuille de papier aluminium en forme de gondole creuse. Y déposer la banane pelée, arrosée du mélange **(1)** et flanquée sur toute sa longueur d'une gousse de vanille fendue en deux.

3. Refermer hermétiquement chaque papillote et cuire à four chaud (220 °C, thermostat 7), pendant 15 minutes. Dresser sur assiette chaude et laisser aux convives le soin **d'ouvr**ir chacun sa papillote.

N.B. On pratique de la même façon pour les pommes en papillote.

Orange à l'orange

MARCHÉ POUR 2 PERSONNES

Ingrédients principaux
2 oranges sanguines
2 kiwis (facultatif)
25 cl d'eau
8 cuillères à café rases d'aspartam

Sauce d'accompagnement
6 cuillères à soupe de coulis de fraises ou cassis (*voir recette p. 342*)

Ustensiles de préparation et de présentation
1 petite casserole inoxydable
2 assiettes plates froides

1. Peler les oranges à l'aide d'un couteau économe et tailler les zestes-pelures ainsi obtenus en très fine **julienne** (grosseur des aiguilles de pin).

2. Dans la casserole, faire bouillir les 25 cl d'eau et l'aspartam. Y jeter la **julienne** de zestes d'orange et laisser cuire ainsi à très faible frémissement pendant 1 h 30 à 2 heures. On obtient ainsi des écorces d'orange « confites » enrobées d'un épais sirop. Mettre à refroidir.

3. Peler à vif les oranges déjà pelées **(1)** : enlever, à l'aide d'un petit couteau bien tranchant, la peau blanche restante, puis inciser le long des membranes de séparation intérieures et sortir les quartiers ainsi mis à nu.

Réaliser cette opération au-dessus d'une assiette pour récupérer le jus des oranges.

4. Couper les kiwis en deux dans le sens de la longueur et les détailler en fines lamelles.

5. Pour servir, disposer les quartiers d'orange en rosace sur chaque assiette, les recouvrir de la **julienne** confite, du jus d'orange et ranger tout autour, en couronne, les tranches de kiwi.

Napper très légèrement le tout avec le coulis de fruits choisi.

Melon en surprise

MARCHÉ POUR 4 PERSONNES

Ingrédients principaux
4 tout petits melons

Ingrédients de garniture
1 orange
1 pamplemousse
Fraises, framboises, raisins, poire, etc.
8 feuilles de menthe fraîche

Sauce d'accompagnement
24 cl de sauce coulis de framboises (*voir recette p. 342*)

Ustensiles de préparation et de présentation
1 compotier
4 assiettes plates froides

1. Décapiter délicatement les melons et conserver leur chapeau. Enlever à l'aide d'une cuillère à café les graines et les filaments contenus à l'intérieur.
Avec la même cuillère, mordre dans la chair des melons pour en détacher de gros copeaux.
2. Peler à vif l'orange et le pamplemousse : enlever à l'aide d'un petit couteau bien tranchant la peau des fruits, puis inciser le long des membranes de séparation intérieures et sortir les quartiers ainsi mis à nu.
Faire ce travail au-dessus d'une assiette pour récupérer le jus.
3. Mettre à macérer, dans leur jus, 1 heure au réfrigérateur, fraises, framboises, raisins, quartiers de poire, quartiers d'orange, pamplemousse et copeaux de melon, le tout réuni dans un même compotier.

4. Pour servir, dresser les melons sur les assiettes, les emplir de ces fruits rafraîchis et verser dessus la sauce coulis de framboises. Les coiffer de leur chapeau, piqué de feuilles de menthe.

N.B. On peut aussi, pour rendre ce dessert plus raffiné, fourrer les melons de sorbet au melon (*voir recette p. 346*).

Fraises à la chantilly

MARCHÉ POUR 4 PERSONNES

Ingrédients principaux
250 g de fraises
1 cuillère à soupe de kirsch
6 cuillères à soupe de crème liquide
2 blancs d'œufs 1/2
10 cuillères à café rases d'aspartam
1 pincée de vanille en poudre
4 belles feuilles de menthe fraîche

Ustensiles de préparation et de présentation
1 compotier
2 récipients creux inoxydables
1 fouet
1 spatule en bois
4 coupes en verre « glacées » au réfrigérateur

1. Équeuter les fraises, les mettre à macérer au réfrigérateur dans un compotier avec le kirsch.

2. *Préparation de la « crème Chantilly » :*
a) Meringue :
Mettre les 2 blancs d'œufs 1/2 et les 10 cuillères à café rases d'aspartam dans un récipient creux. Installer celui-ci dans un bain-marie très chaud – eau du bain, à frémissement – et fouetter 10 minutes environ. Le mélange va blanchir, puis épaissir et enfin devenir ferme. Mettre alors la préparation au réfrigérateur.
b) Crème fouettée :
Dans le second récipient creux, fouetter la crème avec la pincée de vanille en poudre, d'abord doucement, puis plus vivement pour l'amener à son plein épanouissement.
Stopper dès qu'elle devient ferme.

3. Incorporer souplement, à l'aide de la spatule en bois, la crème fouettée (*b*) à la meringue refroidie (*a*). Veiller à ce que ce mélange reste très aéré.

4. *Présentation :*
— Garnir les coupes en verre des fraises macérées au kirsch ; les recouvrir, à la cuillère à soupe, d'un dôme de « crème Chantilly » et décorer le sommet d'une grosse fraise flanquée d'une feuille de menthe fraîche.
— Servir glacé.

Gelée d'amande aux fruits frais

MARCHÉ POUR 4 PERSONNES

Ingrédients principaux
20 cl de lait écrémé
2 feuilles de gélatine
2 gouttes d'extrait d'essence d'amande amère

Ingrédients de garniture
Selon la saison :
Fruits de toutes les couleurs entiers (fraises, framboises, cerises, groseilles, etc.) ou, coupés en fines tranches (poires, pêches, ananas frais, oranges, etc.), soit au total, 400 g de fruits

Ustensiles de préparation et de présentation
1 bol
1 compotier
1 casserole
1 petit plat rond
1 emporte-pièce (facultatif)
4 assiettes plates froides

1. Faire tremper les feuilles de gélatine dans de l'eau froide pour les assouplir et les faire gonfler.

2. Faire bouillir le lait écrémé. Retirer du feu, ajouter aussitôt les 2 gouttes d'extrait d'amande amère et les feuilles de gélatine égouttées. Bien mélanger le tout et verser dans un récipient rond. Mettre au réfrigérateur. On obtiendra, après refroidissement, une galette de 1 cm d'épaisseur.

3. Préparer tous les fruits dans un compotier et les laisser macérer dans leur jus.

4. Sortir la galette de gelée d'amande **(2)** du réfrigérateur et la détailler selon son goût en carrés, losanges, ronds, au couteau à main levée ou à l'emporte-pièce.

5. Garnir le centre des assiettes des motifs en gelée et disposer tout autour les fruits arrosés de leur jus, en jouant de leurs couleurs.
Servir glacé.

Blancs à la neige au coulis de cassis

MARCHÉ POUR 4 PERSONNES

Ingrédients principaux
5 blancs d'œufs
6 cuillères à café rases d'aspartam
25 cl de sauce coulis de cassis (*voir recette p. 342*)

Cuisson des blancs à la neige
2 litres d'eau
4 g de sel

Ustensiles de préparation et de présentation
1 casserole large et plate
1 saladier
1 fouet à blancs
1 écumoire ronde à manche
1 spatule en acier
4 assiettes plates froides

1. Dans la casserole plate, mettre à chauffer les 2 litres d'eau additionnée des 4 g de sel.
2. Dans le saladier, monter les blancs en neige.
À l'aide du fouet les battre doucement au début pour casser leur résistance, puis augmenter la rapidité du mouvement au fur et à mesure de leur épaississement. Ajouter les 6 cuillères à café rases d'aspartam. Amener les blancs à bonne consistance en faisant décrire au fouet un mouvement circulaire contre la paroi intérieure du saladier.

3. *Cuisson des blancs à la neige :*
— À l'aide d'une spatule en métal, façonner un par un sur l'écumoire, à partir du quart des blancs montés, de petits dômes de 3 cm de hauteur environ.

— Poser délicatement l'écumoire à fleur de l'eau frémissante, le dôme de blanc va se détacher tout seul et flotter sur l'eau.
— Répéter cette opération 4 fois successivement.
— Mettre à feu doux, l'eau ne doit en aucun cas bouillir.
Durée de cuisson 15 minutes.
— À mi-cuisson retourner délicatement les blancs avec l'écumoire pour les pocher uniformément.
— Les égoutter à plat sur un linge.

4. *Présentation :*
— Verser les 25 cl de sauce coulis de cassis dans le fond des assiettes plates, poser les blancs en neige dessus.
— On peut les décorer au choix de fines lamelles de fruits exotiques comme la mangue, le kiwi, etc. rehaussés de feuilles de menthe fraîche.

Ananas glacé aux fraises des bois

MARCHÉ POUR 8 PERSONNES

Ingrédients principaux
1 ananas moyen
15 cl d'eau
10 cuillères à café rases d'aspartam

Ingrédients de garniture
250 g de fraises des bois
1 cuillère à soupe de kirsch

Sauce d'accompagnement
25 cl de sauce coulis de framboises (*voir recette p. 342*)

Ustensiles de préparation et de présentation
1 petite casserole
1 grand couteau long et flexible
1 compotier
1 mixer
1 sorbetière électrique (facultatif)
1 plat de service
1 saucière

1. Délayer ensemble les 15 cl d'eau et les cuillères à café rases d'aspartam. Faire bouillir dans la casserole pour obtenir un sirop. Retirer du feu et **réserver** au frais.

2. *Préparation de la coque de l'ananas et de sa garniture :*
— Trancher la base de l'ananas pour lui permettre de tenir debout, bien à plat.
— En décapiter la partie haute et conserver le plumet.
— Détacher la pulpe du fruit, en glissant et en faisant courir en rond un couteau long et flexible entre chair et écorce.

— Sortir le cylindre ainsi obtenu, le couper en 2 dans le sens de la longueur et éliminer la partie ligneuse du centre.

— Détailler dans la chair la valeur de 4 grosses cuillères à soupe de dés de 1/2 cm de section.

— Les mettre à macérer dans le compotier avec les fraises des bois et le kirsch. **Réserver** au frais, ainsi que la coque évidée de l'ananas.

3. Broyer au mixer, avec le sirop **(1)**, la chair d'ananas restante **(2)**. Verser ce mélange dans la sorbetière et mettre en mouvement jusqu'à ce que cette purée liquide épaississe par le froid (20 minutes environ) [*voir p. 345*].

4. Tapisser confortablement de ce sorbet **(3)** le fond et les parois intérieures de la coque d'ananas évidée, garnir le cœur du fruit des fraises des bois et des dés d'ananas macérés au kirsch **(2)**.

Finir de fourrer le fruit avec le sorbet restant et recouvrir du plumet.

5. Dresser sur un plat de service rond recouvert d'une serviette ; servir en saucière, à part, la sauce coulis de framboises.

Paris-brest au café

MARCHÉ POUR 6 PERSONNES

Ingrédients de la pâte à choux
6 cl de lait écrémé
25 g de beurre
1 g de sel
1 cuillère à café rase d'aspartam
35 g de farine
1 œuf entier
1 œuf battu pour le badigeonnage
Sucre glace en poudreuse

Crème Chantilly au café
Voir « Crème Chantilly » (*recette p. 372*)
1 cuillère à soupe de café soluble

Ustensiles de préparation et de présentation
1 petite casserole à fond épais
1 spatule en bois
1 fouet
1 saladier
1 plaque de four en tôle
1 papier siliconé
1 poche à pâtisserie avec sa « douille », diamètre 2 cm
1 plat de service rond
1 couteau scie

1. *Préparation de la pâte à choux :*
a) Dans la petite casserole à fond épais faire bouillir ensemble les 6 cl de lait écrémé, les 25 g de beurre, la cuillère à café rase d'aspartam et le sel.
b) Ôter du feu au premier bouillon et incorporer à l'aide de la spatule en bois les 35 g de farine.
c) Remettre sur le feu et continuer de remuer vivement pendant 1 minute pour dessécher la pâte.

d) Transvaser alors cette préparation dans le saladier tiède et y incorporer au fouet, après l'avoir légèrement battu à la fourchette, la moitié de l'œuf.

Quelques secondes plus tard, ajouter l'autre moitié d'œuf battu et arrêter de fouetter dès que la pâte est devenue bien lisse et homogène.

2. *Dressage du paris-brest :*

— Graisser légèrement ou mieux recouvrir la plaque en tôle d'un papier siliconé.

— Dessiner dessus un cercle de 20 cm de diamètre.

— Appuyer sur la poche garnie, en faire sortir un boudin de pâte à choux **(1)** qui va venir recouvrir entièrement le cercle dessiné.

— Pour lui donner une belle couleur à la cuisson, le badigeonner au pinceau d'un peu d'œuf battu.

3. *Cuisson du paris-brest :*

— Cuire 15 minutes, à four chaud (220 °C, thermostat 7), maintenu entrouvert par une cuillère, puis dès que la pâte est bien montée, 15 autres minutes à four moyen (200 °C, thermostat 6).

— Sortir du four, laisser refroidir et, à l'aide d'un couteau scie, ouvrir en deux la couronne du paris-brest.

4. *Finition du gâteau :*

— Garnir de « crème Chantilly » en ayant préalablement ajouté à la meringue, lors de sa confection, une cuillère à soupe de poudre de café soluble.

— Si les convives sont très gourmands, on peut doubler les proportions des ingrédients de la crème.

— Coiffer le paris-brest de sa couronne supérieure et saupoudrer d'un nuage de sucre glace (facultatif). Dresser sur un plat de service rond.

Note de l'auteur :

Il est mieux, pour travailler la pâte à choux plus aisément, de réaliser cette recette en doublant les proportions de ses ingrédients. On peut alors dresser tous les paris-brest, réalisés à la poche, sur plaque, cuire la quantité voulue et **réserver** les autres au congélateur pour cuisson ultérieure.

Soufflé léger aux poires

MARCHÉ POUR 8 PERSONNES

Ingrédients principaux
3 poires *très mûres* de 120 g chacune environ
1/2 cuillère à café d'alcool de poire
14 cuillères à café rases d'aspartam
2 jaunes d'œufs
7 blancs d'œufs
20 g de beurre en pommade

Ingrédients du sirop de cuisson des poires
3/4 de litre d'eau
15 cuillères à café rases d'aspartam
1 gousse de vanille fendue

Ustensiles de préparation et de présentation
2 saladiers
1 casserole
8 moules à soufflé en porcelaine blanche, diamètre 9 cm, hauteur
   4 cm
1 mixer
1 fouet à blancs
1 spatule en bois

1. Mélanger les *ingrédients du sirop* (eau, 15 cuillères à café rases d'aspartam, vanille), les faire bouillir dans la casserole.

2. Y cuire 15 minutes les poires préalablement épluchées, évidées à l'aide d'un couteau économe et coupées en 4.

3. Les égoutter et les broyer au mixer avec les 14 cuillères à café rases d'aspartam et l'alcool de poire.

4. Verser ce mélange **(3)** dans un récipient creux, y ajouter les deux jaunes d'œufs.

5. Ramollir le beurre en pommade et en badigeonner légèrement au pinceau l'intérieur des moules à soufflé.

6. Battre au fouet les blancs d'œufs en neige (pas trop fermes). Prendre le 1/4 de leur volume pour le mélanger à la marmelade de poires **(4)**.

Y incorporer progressivement le restant des blancs montés en les aérant bien à l'aide d'une spatule en bois.

7. Emplir les moules à ras bord. Lisser la surface avec le dos d'un couteau ou le plat d'une palette.

Avec le pouce, décoller le mélange des bords du moule afin de permettre au soufflé de mieux monter.

8. Cuire 8 minutes environ à four préalablement chauffé (220 °C, thermostat 7).

Servir aussitôt sortis du four.

Soufflé léger aux fraises des bois

MARCHÉ POUR 8 PERSONNES

Ingrédients principaux
200 g de fraises des bois
8 cuillères à café rases d'aspartam
1 filet de jus de citron
1 cuillère à café de sauce coulis de framboises (facultatif) [*voir recette p. 342*]
1/2 cuillère à café de kirsch
2 jaunes d'œufs
7 blancs d'œufs
20 g de beurre

Ustensiles de préparation et de présentation
2 saladiers
8 moules à soufflé en porcelaine blanche, diamètre 9 cm, hauteur 4 cm
1 mixer
1 fouet à blancs
1 spatule en bois

1. Broyer ensemble au mixer, les fraises des bois, les 8 cuillères à café rases d'aspartam, le kirsch, la sauce coulis de framboises (facultatif) et le jus de citron.

2. Verser cette purée dans le premier saladier, y mélanger les deux jaunes d'œufs.

3. Ramollir le beurre en pommade et en badigeonner légèrement au pinceau l'intérieur des moules à soufflé.

4. Dans l'autre saladier, battre au fouet les blancs d'œufs en neige (pas trop fermes).
Prendre, en premier lieu, le 1/4 de leur volume et le mélanger à la purée de fraises **(2)**.

Puis, y incorporer progressivement le restant des blancs montés en les soulevant et en aérant bien à l'aide d'une spatule en bois.

5. Emplir les moules à ras bord de cette préparation **(4)**. En lisser la surface avec le dos d'un couteau ou le plat d'une palette. Avec le pouce, décoller le mélange des bords du moule afin de permettre au soufflé de mieux monter.

6. Cuire 8 minutes environ, à four moyen, préalablement chauffé (200 °C, thermostat 6).

Servir aussitôt sortis du four.

385

Soufflé léger au café

MARCHÉ POUR 8 PERSONNES

Ingrédients principaux
2 cuillères à café de poudre de café décaféiné
2 cuillères à café d'eau
8 cuillères à café rases d'aspartam
4 jaunes d'œufs
7 blancs d'œufs
20 g de beurre

Ustensiles de préparation et de présentation
2 saladiers
1 petite casserole
1 mixer
1 fouet à blancs
1 spatule en bois
8 moules à soufflé en porcelaine blanche,
    diamètre 9 cm, hauteur 4 cm

1. Délayer ensemble eau, poudre de café et aspartam. Les faire bouillir dans la casserole et laisser refroidir dans un saladier. Y mélanger les 4 jaunes d'œufs.

2. Ramollir le beurre en pommade et en badigeonner légèrement au pinceau l'intérieur des moules à soufflé.

3. Battre au fouet les blancs d'œufs en neige (pas trop fermes).
Prendre en premier lieu le 1/4 de leur volume pour l'incorporer au mélange café **(1)**.
Y ajouter progressivement le restant des blancs montés en les soulevant et en aérant bien à l'aide d'une spatule en bois.

4. Emplir les moules à ras bord de cette préparation **(3)**. En lisser la surface avec le dos d'un couteau ou le plat d'une palette. Avec le pouce, décoller le mélange des bords du moule afin de permettre au soufflé de mieux monter.

5. Cuire 8 minutes environ, à four moyen préalablement chauffé (200 °C, thermostat 6).

Servir aussitôt sortis du four.

CARTE ALPHABÉTIQUE DES METS

Aiguillettes de caneton aux figues fraîches 300
Aiguillettes de caneton au poivre vert 302
Ailerons de volaille aux navets confits 286
Ananas glacé aux fraises des bois 378
Artichauts Mélanie 162

Bananes en papillote 367
Bar aux algues 246
Baron de lapereau à la vapeur d'hysope 308
Blancs à la neige au coulis de cassis 376
Blanquette de veau à la vapeur 266
Bouillon de légumes d'Eugénie 108
Brouet de cœurs d'oie 296

Carrelet au cidre 233
Caviar d'aubergines 164
Chapon de mer farci 242
Clafoutis aux pommes d'Aurélia 362
Compote de pommes à l'abricot 358
Confit Bayaldi 333
Confiture de légumes de Maman Guérard 334
Côte de veau « grillée en salade » 264
Court-bouillon de tous les poissons aux légumes nouveaux 250

Crème d'oseille mousseuse 112
Cresson à l'œuf poché 160

Dorade cuite sur litière 240

Émincé de poireaux à la menthe sauvage 332
Escalope de saumon à l'oseille 234
Escalope de veau grillée au coulis de culs d'artichaut 269
Estouffade de bœuf aux petits légumes 258

Foie de veau à la vapeur
    aux blancs de poireau en aigre-doux 274
Fraises à la chantilly 372
Fruits au vin rouge de Graves 368

Gâteau d'herbage à l'ancienne 166
Gâteau de carottes fondantes au cerfeuil 168
Gâteau de foies blonds de volaille 186
Gâteau de homard aux carottes fondantes 230
Gâteau de lapin aux herbes et aux mirabelles 310
Gâteau de ris de veau aux morilles 277
Gâteau moelleux d'asperges 170
Gelée d'amande aux fruits frais 374
Gigot d'agneau cuit dans le foin 283
Gigot de poulette cuit à la vapeur de marjolaine 294
Grand pot-au-feu de mer 252
Granité de chocolat amer 352
Gratin de pommes du pays de Caux 336
Grillade de bœuf aux appétits 256
Grillade de bœuf au gros sel 257
Grillade de bœuf au poivre vert 257

Homard à la tomate fraîche et au pistou 222
Homard au cresson 224
Homard, langouste ou écrevisses à la nage 220
Homard rôti au four 226

Huile minceur 124
Huîtres à la poule 157
Huîtres au champagne 216
« Hure » de saumon au citron et poivre vert 177

Jarret de veau aux oranges 270

Langue de bœuf à la fondue d'oignons 262

Marmelade d'oignons au jerez 327
Melon en surprise 370
Merlan à la julienne de légumes 237
Mousseline de grenouilles au cresson de fontaine 188

Nage ou court-bouillon 134
Navarin de homard 228

Œuf au plat à l'eau 156
Œuf glacé à la ratatouille 154
Œuf poule au caviar 158
Oignons Tante Louise 328
Orange à l'orange 368

Paris-brest au café 380
Petits pots de crème à l'orange 354
Petits pots de crème au café 356
Petits pots de crème aux fruits frais 355
Pigeon en soupière 306
Pigeon grillé à la crème d'ail 304
Pintadeau grillé au citron vert 298
Pommes à la neige 360
Pommes en surprise 359
Pot-au-feu de viande en fondue 260
Poulet au tilleul en vessie 288
Poulet aux écrevisses 290
Poulet en soupière aux écrevisses 292

Purée-mousse d'artichauts 324
Purée-mousse de carottes 321
Purée-mousse de céleri au persil 316
Purée-mousse de champignons................................. 323
Purée-mousse de chou-fleur 318
Purée-mousse de cresson....................................... 326
Purée-mousse de cresson et d'oseille........................ 322
Purée-mousse de haricots verts............................... 319
Purée-mousse d'oignons 325
Purée-mousse de poireaux 317
Purée-mousse de poires aux épinards 320

Râble de lièvre aux betteraves................................. 312
Ragoût fin d'Eugénie 280
Ratatouille niçoise 338
Rognon de veau « en habit vert »............................. 272

Sabayon de saint-pierre en infusion de poivre 244
Saint-Jacques et belons aux truffes........................... 218
Salade à la geisha... 192
Salade d'écrevisses de rivière 206
Salade de cerfeuil à l'aile de pigeon 212
Salade de cervelles d'agneau 210
Salade de crabe au pamplemousse............................ 204
Salade de homard au caviar................................... 208
Salade de moules au safran et aux cœurs de laitue.......... 200
Salade de poissons crus marinés.............................. 202
Salade de truffes au persil 196
Salade des prés à la ciboulette 194
Salade pleine mer 198
Sauce à la crème d'ail.. 146
Sauce à la pomme 147
Sauce aigre-douce à l'oignon................................. 127
Sauce au persil... 145
Sauce aux champignons des bois............................. 148
Sauce béarnaise d'Eugénie.................................... 138

Sauce beurre blanc 140
Sauce coulis d'abricots 343
Sauce coulis d'artichauts 144
Sauce coulis d'asperges 141
Sauce coulis de fraises, framboises ou cassis 342
Sauce coulis de tomates fraîches 142
Sauce créosat 130
Sauce grelette 133
Sauce « homardière » froide 136
Sauce « homardière » chaude 150
Sauce mayonnaise 126
Sauce orange 128
Sauce préférée 132
Sauce rose 129
Sauce sabayon au vin rouge 152
Sauce vierge 137
Sorbet à la fraise ou à la framboise 348
Sorbet au melon 346
Sorbet au thé 350
Sorbet citron au pamplemousse 344
Soufflé aux tomates fraîches 174
Soufflé léger au café 386
Soufflé léger aux fraises des bois 384
Soufflé léger aux poires 382
Soupe à la grive de vigne 116
Soupe de grenouilles 114
Soupe de tomates fraîches au pistou 110
Soupe de truffes 120

Tarte de tomates fraîches au thym 161
Tarte fine aux pommes chaudes 364
Terrine de loup chaude aux pointes d'asperge 183
Terrine de poissons aux herbes fraîches 180
Tomate fraîche concassée 330
Tourte aux oignons doux 172
Truffes sous le sel 176

Truites en papillote à l'aneth et au citron 236
Turbotin clouté d'anchois à la vapeur de safran 248

Velouté aux champignons des bois 118
Vinaigrette minceur 125
Volaille « truffée » au persil (*poulet, pintadeau, faisan*) 284

TABLE

Histoire d'une collection 7
Préface par Claude Lebey 9
Michel Guérard 11
Avant-propos 13
De l'emploi convenable de ce livre 17
« Une semaine minceur à Eugénie-les-Bains » 19
Petit lexique du langage de cuisine 21

CHAPITRE PREMIER
DES CUISSONS

Analyse et principes des différentes cuissons
Les deux grandes lois 29
Par saisissement, 29 – *Par échange,* 29

Les différentes techniques de cuisson 31
Cuisson à la cheminée ou au barbecue, 31 – Cuisson rôtie, 38 – Cuisson sautée, 42 – Cuisson en friture, 46 – Cuisson à l'étouffée, 50 – Cuisson pochée, 58 – Cuisson pochée en cuisine minceur, 61

CHAPITRE DEUXIÈME
DES LIAISONS ET DES SAUCES

Les trois grands fonds 65
Fond blond de veau, 65 – Fond blanc de volaille, 68 – Fond ou fumet de poisson, 69

La grande cuisine minceur

Analyse et principes des liaisons et des sauces 71

Par la liaison dite aux céréales et amidons, 71 – Liaison à l'œuf, 73 – Liaison au sang, au corail, 74 – Liaison au corps gras, 75 – Liaison au foie gras, 75 – Liaison aux purées de légumes, 76 – Liaison aux yaourts, fromages blancs, 76 – Autres modes de liaison, 76

Illustration des sauces. Quelques sauces phares
de tradition française. 77

Sauces par émulsion, 77 – L'américaine, 84 – La sauce Périgueux, 86

CHAPITRE TROISIÈME
DES ÉPICES

Épices et condiments 93

Condiments âcres et aromatiques 95

Fines herbes et aromates 97

Les marinades 101

Deux marinades de tradition, 102 – Deux marinades originales, 103 – Les marinades en cuisine minceur, 103

CHAPITRE QUATRIÈME
DES RECETTES MINCEUR

Les soupes 107

Bouillon de légumes d'Eugénie, 108 – Soupe de tomates fraîches au pistou, 110 – Crème d'oseille mousseuse, 112 – Soupe de grenouilles, 114 – Soupe à la grive de vigne, 116 – Velouté aux champignons des bois, 118 – Soupe de truffes, 120

Les sauces 123

LES SAUCES FROIDES :
Huile minceur, 124 – Vinaigrette minceur, 125 – Sauce mayonnaise, 126 – Sauce aigre-douce à l'oignon, 127 – Sauce orange, 128 – Sauce rose, 129 – Sauce créosat, 130 – Sauce préférée, 132 – Sauce grelette, 133 – Sauce homardière froide, 136

LES SAUCES CHAUDES :
Nage ou court-bouillon, 134 – Sauce vierge, 137 – Sauce béarnaise
d'Eugénie, 138 – Sauce beurre blanc, 140 – Sauce coulis d'asperges,
141 – Sauce coulis de tomates fraîches, 142 – Sauce coulis d'artichauts, 144 – Sauce au persil, 145 – Sauce à la crème d'ail, 146 –
Sauce à la pomme, 147 – Sauce aux champignons des bois, 148 –
Sauce homardière chaude, 150 – Sauce sabayon au vin rouge, 152

Les entrées 153
Œuf glacé à la ratatouille, 154 – Œuf au plat à l'eau, 156 – Huîtres à
la poule, 157 – Œuf poule au caviar, 158 – Cresson à l'œuf poché, 160
– Tarte de tomates fraîches au thym, 161 – Artichauts Mélanie, 162 –
Caviar d'aubergines, 164 – Gâteau d'herbage à l'ancienne, 166 –
Gâteau de carottes fondantes au cerfeuil, 168 – Gâteau moelleux
d'asperges, 170 – Tourte aux oignons doux, 172 – Soufflé aux tomates
fraîches, 174 – Truffes sous le sel, 176 – « Hure » de saumon au citron
et poivre vert, 177 – Terrine de poissons aux herbes fraîches, 180 –
Terrine de loup chaude aux pointes d'asperge, 183 – Gâteau de foies
blonds de volaille, 186 – Mousseline de grenouilles au cresson de fontaine, 188

Les salades 191
Salade à la geisha, 192 – Salade des prés à la ciboulette, 194 – Salade
de truffes au persil, 196 – Salade pleine mer, 198 – Salade de moules
au safran et aux cœurs de laitue, 200 – Salade de poissons crus marinés, 202 – Salade de crabe au pamplemousse, 204 – Salade d'écrevisses de
rivière, 206 – Salade de homard au caviar, 208 – Salade de cervelles
d'agneau, 210 – Salade de cerfeuil à l'aile de pigeon, 212

Coquillages, crustacés et poissons 215
Huîtres au champagne, 216 – Saint-Jacques et belons aux truffes, 218 –
Homard, langouste ou écrevisses à la nage, 220 – Homard à la tomate
fraîche et au pistou, 222 – Homard au cresson, 224 – Homard rôti au
four, 226 – Navarin de homard, 228 – Gâteau de homard aux carottes
fondantes, 230 – Carrelet au cidre, 233 – Escalope de saumon à
l'oseille, 234 – Truites en papillote à l'aneth et au citron, 236 – Merlan
à la julienne de légumes, 237 – Dorade cuite sur litière, 240 – Chapon
de mer farci, 242 – Sabayon de saint-pierre en infusion de poivre, 244
– Bar aux algues, 246 – Turbotin clouté d'anchois à la vapeur de safran,

248 – Court-bouillon de tous les poissons aux légumes nouveaux, 250 – Grand pot-au-feu de la mer, 252

Les viandes et les volailles 255

Grillade de bœuf aux appétits, 256 – Grillade de bœuf au gros sel, 257 – Grillade de bœuf au poivre vert, 257 – Estouffade de bœuf aux petits légumes, 258 – Pot-au-feu de viande en fondue, 260 – Langue de bœuf à la fondue d'oignons, 262 – Côte de veau « grillée en salade », 264 – Blanquette de veau à la vapeur, 266 – Escalope de veau grillée au coulis de culs d'artichaut, 269 – Jarret de veau aux oranges, 270 – Rognon de veau « en habit vert », 272 – Foie de veau à la vapeur aux blancs de poireau en aigre-doux, 274 – Gâteau de ris de veau aux morilles, 277 – Ragoût fin d'Eugénie, 280 – Gigot d'agneau cuit dans le foin, 283 – Volaille « truffée » au persil (poulet, pintadeau, faisan), 284 – Ailerons de volaille aux navets confits, 286 – Poulet au tilleul en vessie, 288 – Poulet aux écrevisses, 290 – Poulet en soupière aux écrevisses, 292 – Gigot de poulette cuit à la vapeur de marjolaine, 294 – Brouet de cœurs d'oie, 296 – Pintadeau grillé au citron vert, 298 – Aiguillettes de caneton aux figues fraîches, 300 – Aiguillettes de caneton au poivre vert, 302 – Pigeon grillé à la crème d'ail, 304 – Pigeon en soupière, 306 – Baron de lapereau à la vapeur d'hysope, 308 – Gâteau de lapin aux herbes et aux mirabelles, 310 – Râble de lièvre aux betteraves, 312

Les légumes 315

Les purées-mousses de céleri au persil, 316 – de poireaux, 317 – de chou-fleur, 318 – de haricots verts, 319 – de poires aux épinards, 320 – de carottes, 321 – de cresson et d'oseille, 322 – de champignons, 323 – d'artichauts, 324 – d'oignons, 325 – de cresson, 326 – Marmelade d'oignons au jerez, 327 – Oignons Tante Louise, 328 – Tomates fraîches concassées, crues et cuites, 330 – Émincé de poireaux à la menthe sauvage, 332 – Confit Bayaldi, 333 – Confiture de légumes de Maman Guérard, 334 – Gratin de pommes du pays de Caux, 336 – Ratatouille niçoise, 338

Les desserts 341

Sauce coulis de fraises, framboises ou cassis, 342 – Sauce coulis d'abricots, 343 – Sorbet citron au pamplemousse, 344 – Sorbet au melon, 346 – Sorbet à la fraise ou à la framboise, 348 – Sorbet au thé, 350 – Granité de chocolat amer, 352 – Petits pots de crème à l'orange, 354 – Petits pots de crème aux fruits frais, 355 – Petits pots de crème au café, 356 – Compote de pommes à l'abricot, 358 – Pommes en surprise, 359 – Pommes à la neige, 360 – Clafoutis aux pommes d'Aurélia, 362 – Tarte fine aux pommes chaudes, 364 – Fruits au vin rouge de Graves, 366 – Bananes en papillote, 367 – Orange à l'orange, 368 – Melon en surprise, 370 – Fraises à la chantilly, 372 – Gelée d'amande aux fruits frais, 374 – Blancs à la neige au coulis de cassis, 376 – Ananas glacé aux fraises des bois, 378 – Paris-brest au café, 380 – Soufflé léger aux poires, 382 – Soufflé léger aux fraises des bois, 384 – Soufflé léger au café, 386

Cartes alphabétique des mets 389

Composé par Nord Compo Multimédia
7, rue de Fives, 59650 Villeneuve-d'Ascq

Cet ouvrage a été imprimé par

C P I
Firmin Didot

Mesnil-sur-l'Estrée

pour le compte des Éditions Robert Laffont
24, avenue Marceau, 75008 Paris
en juillet 2009

Dépôt légal : avril 2009
N° d'édition : 50063/03 - N° d'impression : 95978

Imprimé en France